AF892184

EDGAR DEGAS

KÖNEMANN

© for this edition 2023 koenemann.com GmbH
www.koenemann.com

ÉDITIONS
PLACE DES
VICTOIRES

© Éditions Place des Victoires
6, rue du Mail – 75002 Paris
www.victoires.com
ISBN: 978-2-8099-1364-4
Dépôt légal : 2e trimestre 2023

Concept, Project Management: koenemann.com GmbH
Text: Dr. Martina Padberg
Editing: Kathrin Jurgenowski

Translations: David Nash (GB), Denis-Armand Canal (F), Patricia Jimenez (E), Francesca Magistro (I)

Dutch translation:
TEXTCASE
Translation Agency
info@textcase.nl
textcase.de textcase.eu

Art Direction: Oliver Hessmann
Layout: Oliver Hessmann
Picture credits: akg-images gmbh (p. 5), Bridgeman Images (pp. 7–207)

ISBN: 978-3-95588-097-2 (international)

Printed in China by Shyft Publishing / Hunan Tianwen Xinhua Printing Co., Ltd

EDGAR DEGAS

MARTINA PADBERG

Contents
Sommaire
Inhalt
Índice
Indice
Inhoud

6 À propos

Edgar Degas—
Painter of the stage
Edgar Degas –
Un peintre de la scène
Edgar Degas – Maler der Bühne
Edgar Degas: Pintor de la Escena
Edgar Degas – Pittore della Scena
Edgar Degas –
schilder van het theater

Edgar Degas
photo

10 Beginnings as an academic
Les débuts d'un peintre académique
Anfänge eines Akademikers
Los inicios de un académico
Gli inizi di un Accademico
Herkomst van een academicus

34 Degas' discovery of modernity
La découverte de son époque
Die Entdeckung der eigenen Zeit
El descubrimiento de la época propia
La scoperta del proprio tempo
De ontdekking van de eigen tijd

46 Degas and impressionism
Degas et l'impressionnisme
Degas und der Impressionismus
Degas y el Impresionismo
Degas e l'Impressionismo
Degas en het impressionisme

54 People and space
L'homme dans l'espace de la représentation
Der Mensch im Raum
El Ser Humano en el espacio
L'uomo nella stanza
De mens in de ruimte

98 The bathers
Femmes au bain
Die Badenden
Las bañistas
Le bagnanti
De badende vrouwen

148 The sculptor
Le sculpteur
Der Bildhauer
El escultor
Lo scultore
De beeldhouwer

200 The collector and patron
Le collectionneur et le mécène
Der Sammler und Förderer
El coleccionista y mecenas
Il collezionista e il mecenate
De verzamelaar en de begunstiger

208 Curriculum Vitæ

210 Museums
Musées

216 Recommended Literature
Littérature recommandée
Literaturempfehlungen

À propos

Edgar Degas—Painter of the stage
Edgar Degas (7/19/1834–9/27/1917) played a special role in the circle of French Impressionists, in fact he participated in almost all the exhibitions of his Impressionist colleagues between 1874 and 1886, although he actually represented a completely different conception of painting. Reflections from solid and water surfaces, daytime moods or the seasonal weather—all this failed to interest him. He rejected outdoor painting, with the landscape—such a central theme of Impressionist painting—hardly appearing in his work. Degas focused instead, above all, upon the person: the individual's existence and chequered fate, with all the masquerades and role-playing demanded by society. Degas staged his pictures like a theater

Edgar Degas – Un peintre de la scène
Edgar Degas (19.7.1834–27.9.1917) joue un rôle particulier dans le cercle des impressionnistes français. Entre 1874 et 1886, il participe certes à presque toutes les expositions de ses collègues impressionnistes, mais il incarne en fait une tout autre conception de la peinture. Reflets lumineux et miroitements d'eau, atmosphères des moments de la journée ou variations annuelles du temps – rien de tout cela ne l'intéresse. Il rejette la peinture sur le motif ; le paysage, thème central de la peinture impressionniste, apparaît à peine dans son œuvre. Avant toutes choses, c'est l'être humain qui l'occupe – son existence individuelle et les vicissitudes de son destin, les masques et les rôles que la société lui fait prendre. Degas met en scène ses tableaux comme un régisseur et développe, ce faisant,

Edgar Degas – Maler der Bühne
Edgar Degas (19.7.1834–27.9.1917) nimmt im Kreis der französischen Impressionisten eine Sonderrolle ein. Er beteiligt sich zwar zwischen 1874 und 1886 an fast allen Ausstellungen seiner impressionistischen Kolleginnen und Kollegen, vertritt aber eigentlich eine völlig andere Vorstellung von Malerei. Lichtreflexe und Wasserspiegelungen, tageszeitliche Stimmungen oder die jahreszeitliche Witterung – all das interessiert ihn nicht. Freilichtmalerei lehnt er ab. Die Landschaft – zentrales Thema impressionistischer Malerei – taucht in seinem Werk kaum auf, stattdessen beschäftigt ihn vor allen Dingen der Mensch: seine individuelle Existenz und sein wechselvolles Schicksal sowie die Maskeraden und Rollen, die ihm die Gesellschaft abverlangt. Wie ein Regisseur inszeniert Degas seine Bilder und

"Surely Degas is the greatest artist of our time."
« Degas est assurément le plus grand peintre de notre temps. »
„Sicher ist Degas der größte Künstler unserer Zeit."
"Degas es, seguramente, el mayor artista de nuestra época."
"Sicuramente Degas è il più grande artista dei nostri tempi."
"Degas is absoluut de grootste kunstenaar van onze tijd."
CAMILLE PISSARRO

Self Portrait as a Young Man
Autoportrait en jeune homme
Selbstporträt als junger Mann
Autorretrato de joven
Autoritratto da giovane
Zelfportret als jonge man
Oil on canvas / Huile sur toile, Kunsthaus, Zürich

Edgar Degas: Pintor de la Escena
Edgar Degas (19/7/1834–27/9/1917), desempeña un papel especial en el círculo de los impresionistas franceses. De hecho, entre 1874 y 1886 participa en casi todas las exposiciones de sus colegas impresionistas aunque en realidad, defiende una concepción completamente distinta de la pintura. Reflejos de luz y de agua, escenas cotidianas o las diferentes estaciones del año no resultan de su interés. Degas rechaza el Plenairismo; el paisaje, tema central en la pintura impresionista, rara vez forma parte de su obra, por el contrario, se ocupa principalmente del Ser Humano: Su existencia individual y su turbulento destino, así como las mascaradas y los roles que la sociedad le impone. Degas escenifica sus cuadros como

Edgar Degas – Pittore della Scena
Edgar Degas (19.7.1834–27.9.1917) ha avuto un ruolo singolare nella cerchia dell'impressionismo francese. Tra il 1874 e il 1886 partecipa a quasi tutte le mostre della cerchia degli impressionisti, rappresentando però tutto un altro concetto di pittura. Riverberi di luce e riflessi d'acqua, le scene quotidiane o le differenti stagioni dell'anno... tutto questo non gli interessava. Rifiutò la pittura en plein air e il paesaggio, tema centrale della pittura impressionista, non si trova quasi mai nelle sue opere, al contrario s'interessa principalmente dell'Essere Umano: alla sua esistenza individuale e al suo destino, mutabili così come le maschere e i ruoli che la società gli impone. Degas inscenava i suoi quadri come un regista

Edgar Degas – schilder van het theater
Edgar Degas (19 juli 1834 – 27 september 1917) neemt een bijzondere plaats in de kring van de Franse impressionisten in. Hij neemt tussen 1874 en 1886 weliswaar deel aan bijna alle tentoonstellingen van zijn impressionistische collega's, maar eigenlijk vertegenwoordigt hij een totaal ander idee van schilderkunst. Lichtreflecties en waterspiegelingen interesseren hem niet, net zomin als sfeerbeelden afhankelijk van het uur van de dag of weerimpressies behorend bij bepaalde jaargetijden. Het schilderen van de natuur op locatie wijst hij af. Het landschap, als centraal thema van de impressionistische schilderkunst, komt in zijn werk nauwelijks voor. In plaats daarvan is hij vooral bezig met de mens. Zowel met diens individuele bestaan en zijn wisselend lot alsook met de maskerades en rollen die de maatschappij van hem

director, developing fascinating perspectives, spectacular details and aligned spaces. In preparation for these compositions, he utilised the new technical possibilities of photography.

Degas the person remains controversial. He was considered difficult and uncompromising, demonstrated himself to be an anti-Semite during the Dreyfus affair (1894) and is still portrayed as having been a misogynist. Despite this, he was undoubtedly a great artist whose astute reflections upon the condition of people in the modern age were captured in compositionally very surprising pictures.

des perspectives fascinantes, des cadrages spectaculaires, des espaces de fuite. Pour préparer ces compositions, il se sert aussi des nouvelles possibilités techniques de la photographie.

L'homme Degas reste controversé. D'un caractère abrupt et intransigeant, il se montre violemment antisémite pendant l'affaire Dreyfus (1894) et passe aujourd'hui encore pour un misogyne convaincu aux yeux de la critique. Il est toutefois sans aucun doute un immense artiste qui a su saisir avec acuité les traits et la sensibilité de l'homme moderne, dans des tableaux d'une composition extrêmement étonnante.

entwickelt dabei faszinierende Perspektiven, spektakuläre Bildausschnitte, fluchtende Räume. Zur Vorbereitung dieser Kompositionen macht er sich dabei die neuen technischen Möglichkeiten der Fotografie zunutze.

Der Mensch Degas bleibt umstritten. Er galt als schwierig und kompromisslos, erwies sich während der Dreyfus-Affäre (1894) als Antisemit und steht bis heute in der Kritik, ein Frauenfeind zu sein. Dennoch war er zweifellos ein großartiger Künstler, der die Befindlichkeiten des Menschen in der Moderne scharfsinnig in kompositorisch überaus überraschende Bilder fassen konnte.

Self Portrait, Degas with charcoal

Autoportrait

Selbstbildnis, Degas mit Kohlestift

Autorretrato, Degas con carboncillo

Autoritratto, Degas con carboncino

Zelfportret, Degas met houtskool

1855, Oil on canvas/Huile sur toile, 81 × 64,5 cm, Musée d'Orsay, Paris

The artist, at the age of only 21, presented himself confidently to his audience. Already technically brilliant, he oriented himself on his model Ingres, showing an academically-conservative artistic conception, as well as an elegant, dark color palette.

Le peintre de 21 ans se présente avec assurance à son public. Déjà brillant sur le plan technique, il prend modèle sur Ingres et montre une conception iconographique académique et conservatrice, ainsi qu'une palette chromatique à la fois sombre et distinguée.

Selbstbewusst präsentiert sich der erst 21-jährige Maler seinem Publikum. Technisch bereits brillant, orientiert er sich an seinem Vorbild Ingres und zeigt eine akademisch-konservative Bildauffassung sowie eine vornehme, dunkle Farbpalette.

El pintor, de solo 21 años, se presentó ante su público seguro de sí mismo. Brillante ya desde el punto de vista técnico, Degas se fija en Ingres, su modelo a seguir, y presenta una interpretación de la imagen académica y conservadora, así como una distinguida paleta de colores oscuros.

Il pittore ventunenne si presenta al suo pubblico già consapevole del suo valore. Brillante nella preparazione tecnica, assume a suo modello Ingres e mostra una capacità pittorica accademica e conservatrice così 'come un'esclusiva gamma di colori dai toni scuri.

Zelfbewust toont de pas 21-jarige schilder zich aan zijn publiek. In technisch opzicht reeds briljant, richt hij zich op zijn voorbeeld Ingres en geeft hij blijk van een academische, conservatieve schilderopvatting zien met gebruik van voorname, donkere kleurschakeringen.

un director y desarrolla en ellos perspectivas fascinantes, detalles espectaculares y espacios alineados. Para preparar estas composiciones se sirve de las nuevas tecnologías de la fotografía.

El personaje de Degas es sinónimo de controversia, ya que era difícil e intransigente. Durante el caso Dreyfus (1894), se reveló como antisemita y la crítica lo considera a día de hoy un misógino. No obstante es, sin lugar a dudas, un gran artista capaz de captar con agudeza los estados de ánimo de las personas en la época moderna en imágenes compuestas de manera más que sorprendente.

dando origine così ad affascinanti prospettive, a spettacolari tagli d'immagine, a spazi ricchi di punti di fuga. Per preparare queste composizioni si aiuta con le nuove tecniche fotografiche.

Il personaggio Degas resta una figura controversa. Passa per uomo difficile e intransigente, durante l'affare Dreyfus si manifestò antisemita e ancora oggi è considerato dalla critica un misogino. Tuttavia è stato senza dubbio un grande artista, ed è riuscito a captare con acutezza lo stato d'animo dell'individuo nell'epoca della modernità con le sue pitture dalla composizione oltremodo sorprendente.

verlangt. Als een regisseur ensceneert Degas zijn schilderijen en ontwikkelt daarbij fascinerende perspectieven, spectaculaire uitsneden, uitgelijnde ruimten. Als voorbereiding op deze composities gebruikt hij daarbij de nieuwe technische mogelijkheden van de fotografie.

De mens Degas blijft omstreden. Hij gold als moeilijk en compromisloos. Tijdens de Dreyfus-affaire (1894) bleek hij een antisemiet en nog vandaag de dag bekritiseert men hem als vrouwenvijand. Het leidt echter geen twijfel dat hij een groot kunstenaar was, die de gemoedstoestanden van de mens in de moderne tijd scherpzinnig wist vast te leggen in compositorisch zeer verassende schilderijen.

The Bellelli Family

La Famille Bellelli

Die Familie Bellelli

La familia Bellelli

La famiglia Bellelli

De familie Bellelli

1858–67, Oil on canvas/Huile sur toile, 200 × 250 cm, Musée d'Orsay, Paris

During an extensive journey to Italy, the family portrait of the Bellellis emerged. Laura Bellelli was an aunt of the painter. In addition to beautiful finesse, Degas demonstrated here his talent as an adept psychological observer. The family members appear with each other to be unsociable and stiff.

Le portrait de famille des Bellelli date de son long séjour en Italie. Laura Bellelli est une tante du peintre. À côté d'une grande délicatesse picturale, Degas déploie ici son talent d'observation psychologique. Les membres de cette famille paraissent figés dans une grande froideur réciproque.

Auf einer ausgiebigen Italienreise entsteht das Familienporträt der Bellellis. Laure Bellelli ist eine Tante des Malers. Neben seiner malerischen Finesse beweist Degas hier sein Talent als psychologisch versierter Beobachter. Die Familienmitglieder wirken untereinander kontaktarm und steif.

Durante su dilatado viaje a Italia, creó el retrato familiar de los Belleli. Laure Bellelli es tía del pintor. Junto con su habilidad pictórica, Degas demuestra aquí su talento como versado observador psicológico. Los miembros familiares carecen de contacto entre ellos y resultan hieráticos.

Risultato del lungo viaggio in Italia è il ritratto di famiglia dei Bellelli. Laure Bellelli è una zia del pittore. Accanto alla ricercatezza del pittore, Degas mostra qui il suo talento di esperto osservatore della psicologia umana. I membri della famiglia mostrano rigidità e un atteggiamento segnato da assenza di contatto.

Na een uitgebreide reis in Italië ontstaat het familieportret van de Bellillis. Laure Bellilli is een tante van de schilder. Degas bewijst hier naast zijn schilderkunstige precisie ook zijn talent als psychologisch deskundig waarnemer. De familieleden lijken stijfjes en onderling weinig contact te maken.

Beginnings as an academic

Hilaire Germain Edgar de Gas was born in Paris, the eldest son of an Italian father and a mother having American Creole ethnicity. He grew up in an upper middle class, artistically inclined family. His father, Auguste de Gas, headed the Paris branch of a family-owned Neapolitan bank and had a great passion for music. His mother, Marie-Célestine Musson, originated from New Orleans, brought four more children into the world after Edgar, but died early when Edgar was only 13 years old. Two trips taken by Degas later in his life illustrate his divergent roots: in 1856 he undertook a study trip to Italy, which lasted nearly three years, and in 1872–73 he traveled for five months to New Orleans, meeting his mother's relations.

A befitting education was initially followed by study in law, which the young Edgar soon broke off to become an artist, a decision that was tolerated and supported by

Les débuts d'un peintre académique

Hilaire Germain Edgar de Gas naît à Paris, fils aîné d'un Italien et d'une Américaine d'origine créole. Il grandit dans une famille de la haute bourgeoisie, qui s'intéresse aux arts. Son père, Auguste de Gas, dirige la branche extérieure d'une banque napolitaine de famille et c'est un passionné de musique. Sa mère, Marie-Célestine Musson, est originaire de la Nouvelle-Orléans. Elle mettra au monde quatre autres enfants, avant de mourir précocement alors qu'Edgar vient d'avoir treize ans. Deux voyages conduiront plus tard Degas à la découverte de ses différentes racines : il part en 1856 pour un voyage d'études en Italie (qui durera presque trois ans) ; en 1872–1873, il séjournera cinq mois à la Nouvelle-Orléans, pour y faire la connaissance de la famille de sa mère.

Après sa formation scolaire, des études de droit paraissent conformes à son milieu d'origine, mais le jeune Edgar les abandonne bien vite pour devenir artiste – une décision que le père de

Anfänge eines Akademikers

Hilaire Germain Edgar de Gas wird in Paris als ältester Sohn eines Italieners und einer Amerikanerin kreolischer Abstammung geboren. Er wächst in einer großbürgerlichen, künstlerisch interessierten Familie auf. Sein Vater, Auguste de Gas, leitet die Pariser Außenstelle einer familieneigenen neapolitanischen Bank und ist überaus musikbegeistert. Die Mutter, Marie-Célestine Musson, stammt aus New Orleans. Sie bringt vier weitere Kinder zur Welt und stirbt früh, Edgar ist gerade 13 Jahre alt. Zwei Reisen führen Degas später zu seinen unterschiedlichen Wurzeln: 1856 tritt er eine Studienreise nach Italien an, die fast drei Jahre dauern wird, und 1872/73 reist er für fünf Monate nach New Orleans, um die Verwandtschaft seiner Mutter kennenzulernen.

An eine standesgemäße Schulausbildung schließt sich zunächst ein Jurastudium an, das der junge Edgar jedoch schon bald abbricht, um Künstler zu werden. Eine Entscheidung,

Los inicios de un académico
Hilaire Germain Edgar de Gas nació en París, es el hijo mayor de un italiano y una americana de orígenes criollos. Creció en una familia de la alta burguesía, interesada en el arte.

Gli inizi di un Accademico
Hilaire Germain Edgar de Gas nasce a Parigi. È il figlio maggiore di un italiano e di un'americana di origine creola. Cresce in una famiglia di ceto borghese medio-alto interessata all'arte. Suo

Herkomst van een academicus
Hilaire Germain Edgar de Gas wordt als oudste zoon van een Italiaanse vader en een Amerikaanse moeder met Creoolse afkomst in Parijs geboren. Hij groeit op in een welgestelde en kunstminnende

Hilaire de Gas, grandfather of the artist

Hilaire de Gas

Hilaire de Gas, der Großvater des Künstlers

Hilaire de Gas, el abuelo del artista

Hilaire de Gas, nonno dell'artista

Hilaire de Gas, de grootvader van de kunstenaar

1857, Oil on canvas/Huile sur toile, 53 × 41 cm, Musée d'Orsay, Paris

Degas' father. He facilitated his son's academic study and even provided a studio. Following private lessons under Louis Lamothe (1822–1869), an academic artist and former pupil of Ingres, in 1855 Degas visited

Degas tolère et soutient. Il permet à son fils aîné de suivre une formation académique et va jusqu'à mettre un atelier à sa disposition. Après des cours privés chez Louis Lamothe (1822–1879), ancien élève d'Ingres et peintre

die Degas' Vater toleriert und unterstützt. Er ermöglicht seinem Sohn ein akademisches Studium und stellt sogar ein Atelier zu Verfügung. Nach privatem Unterricht bei Louis Lamothe (1822–1869), einem akademischen

Theater scene

Scène de théâtre

Theaterszene

Escena de teatro

Scena di teatro

Theaterscène

Pastel, private collection

Su padre, Auguste de Gas, dirige la sucursal parisina de un banco napolitano propiedad de una familia y es un entusiasta empedernido de la música. La madre, Marie-Célestine Musson, es de Nueva Orleans. Trajo dos niños al mundo y falleció temprano, Edgar tenía entonces 13 años. Más tarde, Degas emprendería dos viajes que le conducirían a sus diversas raíces: En 1856 realizó un viaje de estudios a Italia que duraría casi tres años y, en 1872/73, viajó a Nueva Orleans donde permaneció cinco meses para conocer a los parientes de su madre.

Después de una formación escolar conforme a su posición social, enlazó primero la carrera de Derecho que, no obstante, el joven Edgar interrumpió pronto para convertirse en artista. El padre de Degas toleró y apoyó esta

padre, Auguste de Gas, si occupa della filiale parigina di una banca napoletana a gestione familiare ed è un fanatico della musica. La madre, Marie-Célestine Musson, è originaria di New Orleans. Dà alla luce quattro figli e muore prematuramente quando Edgar aveva appena tredici anni. Due viaggi porteranno più tardi Degas alla scoperta delle sue diverse origini: nel 1856 compie un viaggio in Italia che dura quasi tre anni e nel 1872/73 impiega cinque mesi per raggiungere New Orleans e conoscere i parenti della madre.

Dopo una formazione scolastica adeguata al proprio rango, il giovane Degas decide inizialmente di darsi agli studi giuridici che presto interromperà per diventare artista. Una decisione che il padre di Degas accetta e sostiene.

familie. Zijn vader, Auguste de Gas, leidt het Parijse filiaal van een tot de familie behorende Napolitaanse bank en houdt bijzonder veel van muziek. Zijn moeder, Marie-Célestine Musson, komt uit New Orleans. Behalve Edgar krijgt ze nog vier kinderen. Ze sterft jong. Edgar is dan net 13 jaar oud. Degas onderneemt later twee reizen naar de verschillende wortels van zijn bestaan: in 1856 gaat hij op een bijna drie jaar durende studiereis in Italië en in 1872/1873 gaat hij voor vijf maanden naar New Orleans om de familie van zijn moeder te leren kennen.

Na de schoolopleiding, die Degas aan zijn stand verplicht was, begint hij aan een rechtenstudie die hij al snel weer afbreekt om kunstenaar te worden. Zijn vader tolereert en ondersteunt deze beslissing. Hij maakt voor de jonge Edgar een academische studie mogelijk

the École des Beaux-Arts, meeting there Édouard Manet (1832–1883). Together the pair studied and copied the old masters in the Louvre. That same year, Degas met his greatest

académique, Degas fréquente à partir de 1855 l'École des Beaux-Arts où il fait la connaissance d'Édouard Manet (1832–1883). Les deux jeunes peintres étudient et copient ensemble les Maîtres anciens

Künstler und ehemaligem Ingres-Schüler, besucht Degas ab 1855 die École des Beaux-Arts und lernt dort Édouard Manet (1832–1883) kennen. Gemeinsam studieren und kopieren die beiden die

Study of Hands (hands of Baroness Bellelli)

Étude de mains

Handstudie (Hände der Baronin Bellelli)

Estudio de la mano (manos de la baronesa Bellelli)

Studio sulle mani (Mani di Baronin Bellelli)

Studie van handen (de handen van barones Bellelli)

1859–60, Oil on canvas/Huile sur toile, 38 × 46 cm, Musée d'Orsay, Paris

Self Portrait in Green Waistcoat

Autoportrait

Selbstbildnis des Künstlers in grüner Weste

Autorretrato del artista con chaqueta verde

Autoritratto dell'artista in camicia verde

Zelfportret van de kunstenaar met groen vest

c.1856, Oil on canvas/Huile sur toile, 41 × 32,5 cm, private collection

decisión y facilitó a su hijo estudios académicos e incluso puso un taller a su disposición. Después de recibir clases privadas en casa de Louis Lamothe (1822–1869), un antiguo artista

Permette infatti al figlio di frequentare gli studi accademici e gli mette addirittura a disposizione un atelier. Dopo aver preso lezioni private da Louis Lamothe (1822–1869), un artista

en zorgt zelfs voor een atelier. Degas krijgt eerst privéonderwijs van Louis Lamothe (1822–1869). Lamothe is een academische schilder en voormalig leerling van Ingres. Daarna bezoekt

Self Portrait with Hat

Degas saluant

Selbstbildnis mit Hut

Autorretrato con sombrero

Autoritratto con cappello

Zelfportret met hoed

1862, Oil on canvas/Huile sur toile, 92 × 69 cm, Museu Calouste Gulbenkian, Lisboa

inspiration, the famous master painter Jean-Auguste-Dominique Ingres (1780–1867), who was showing a comprehensive retrospective of his work at the Paris World Exhibition. Degas was enthusiastic about Ingres'

au Louvre. Cette même année, Degas rencontre son illustre modèle, Jean-Auguste-Dominique Ingres (1780–1867), qui présente une vaste rétrospective de son œuvre dans le cadre de l'Exposition universelle de Paris. Degas est

Alten Meister im Louvre. Im selben Jahr trifft Degas sein großes Vorbild, den berühmten Malerfürsten Jean-Auguste-Dominique Ingres (1780–1867), der im Rahmen der Pariser Weltausstellung eine umfassende Retrospektive seines Werkes

Jockeys at the Racecourse

Jockeys sur le champ de course

Jockeys auf der Rennbahn

Jockeys sobre la pista

Fantini all'ippodromo

Jockeys op de renbaan

Oil on paper/Huile sur papier, 61 × 50 cm, private collection

académico y alumno de Ingres, Degas acudió a partir de 1855 a la Escuela de Bellas Artes (École des Beaux-Arts) y conoció a Édouard Manet (1832–1883).

Juntos, los dos artistas estudian y copian a los antiguos maestros del

dell'Accademia ed ex allievo di Ingres, Degas frequenta a partire del 1855 la Scuola di Belle Arti dove conosce Édouard Manet (1832–1883). Insieme studiano e copiano gli Antichi Maestri del Louvre. Nello stesso anno Degas

Degas vanaf 1855 de École des Beaux-Arts en leert daar Édouard Manet (1832–1883) kennen. Samen bestuderen en imiteren zij de Oude Meesters in het Louvre. In hetzelfde jaar ontmoet Degas zijn grote voorbeeld: de zeer beroemde

technical prowess, his total command of linework and the contrasting *chiaroscuro* of his painting, so it was no wonder that he initially tried to emulate him. Thematically, he experimented initially in the fields inhabited by Ingres, portraiture and historical painting.

enthousiasmé par la maîtrise technique d'Ingres, la pureté souveraine de sa ligne et le clair-obscur contrasté de sa peinture. Il n'est donc pas étonnant qu'il s'essaye d'abord à l'imiter. Il commence aussi à expérimenter des sujets dans les domaines où travaillait Ingres : le portrait et la peinture d'histoire.

zeigt. Degas ist begeistert von Ingres' Meisterschaft, seiner Linienführung und dem kontrastierenden Hell-Dunkel seiner Malerei. Kein Wunder, dass er zunächst versucht ihm nachzueifern. Auch thematisch experimentiert er anfänglich auf den Feldern, die Ingres bearbeitete: Porträt und Historienmalerei.

The Parade**, or **Race Horses in front of the Stands

Le Défilé** ou **Chevaux de courses devant les tribunes

Die Parade** oder **Rennpferde vor den Tribünen

El desfile** o **Caballos de carreras antes las gradas

La parata,** o **la corsa dei cavalli davanti alla tribuna

De parade,** of **renpaarden voor de tribune

1866–68, Peinture à l'essence on paper/Peinture à l'essence sur papier sur toile, 46 × 61 cm, Musée d'Orsay, Paris

At the Stable, Horse and Dog

À l'écurie, cheval et chien

Am Stall, Pferd und Hund

Caballo y perro en el establo

Nella stalla – cavallo e cane

Bij de stal, paard en hond

1862, Oil on canvas/Huile sur toile, 40 × 32 cm, private collection

Louvre. Ese mismo año, Degas conoce a su máximo ejemplo a seguir, el célebre y reconocido pintor Jean-Auguste-Dominique Ingres (1780–1867), que presentó una amplia retrospectiva de su obra en la Exposición Universal de París de 1855. Degas es un apasionado de la maestría técnica de Ingres, su trazo superior y el contraste de claroscuros de su pintura. No es de extrañar que tratara de emularlo. En la temática, también experimentó en un principio con los campos que Ingres trabajaba, es decir, el retrato y la pintura de historia.

incontra il suo modello più grande, il famoso guru della pittura, Jean-Auguste-Dominique Ingres (1780–1867), che mostra un'ampia retrospettiva delle sue opere in occasione dell'Esposizione Universale a Parigi del 1855. Degas è entusiasta della maestria tecnica di Ingres per il suo tratto superiore e i contrasti di chiaroscuro della sua pittura. Non stupisce che si metta subito a emularlo. Anche a livello tematico sperimenta fin dall'inizio i campi tipici di Ingres: il ritratto e le pitture di rievocazione storica.

kunstschilder Jean-Auguste-Dominique Ingres (1780–1867) die in het kader van de wereldtentoonstelling in 1900 in Parijs een veelomvattend retrospectief van zijn werk tentoonstelt. Degas is enthousiast over het technische vakmanschap van Ingres, over diens soevereine lijnvoering en het contrasterende licht-donker van zijn schilderijen. Het is dus geen wonder dat hij aanvankelijk probeert om Ingres na te volgen. Ook qua thematiek experimenteert Degas in het begin met de genres die Ingres beoefent: het portret en de historieschilderkunst.

Dancer fixing her Slipper

Danseuse ajustant son chausson

Tänzerin, ihren Schuh bindend

Bailarina abrochándose la zapatilla

Ballerina che si allaccia la scarpetta

Danseres die haar schoen vastmaakt

1865, Charcoal on paper/Fusain sur papier, 31 × 24 cm, Musée Bonnat, Bayonne

The Dancing Class

La Classe de danse

Die Tanzklasse

La clase de danza

La classe di danza

De dansles

1873–76, Oil on canvas/Huile sur toile, 85 × 75 cm, Musée d'Orsay, Paris

The Dance Foyer at the Opera on the rue Le Peletier

Le Foyer de la danse à l'Opéra de la rue Le Peletier

Ballettsaal der Oper in der Rue Le Peletier

El foyer de la danza en la Ópera

Il Foyer di danza al Teatro dell'Opera sulla Rue Le Peletier

Balletzaal van de opera in de Rue Le Peletier

1872, Oil on canvas/Huile sur toile, 32 × 46 cm, Musée d'Orsay, Paris

Ballet Rehearsal on the Stage

Ballettprobe auf der Bühne

Prove di balletto in scena

Répétition d'un ballet sur la scène

Ensayo de ballet en el escenario

Balletrepetitie op het toneel

1874, Oil on canvas/Huile sur toile, 65 × 81 cm, Musée d'Orsay, Paris

Dancer

Danseuse

Tänzerin

Bailarina

Ballerina

Danseres

*Pastel/Pastel et fusain sur papier vélin bleu-gris,
private collection*

Dancers in Pink, between the scenes

Danseuses en rose

Tänzerinnen in Rosa, zwischen den Kulissen

Bailarinas de rosa entre bambalinas

Ballerine in rosa, tra le quinte

Danseressen in roze, tussen de coulissen

*Oil on canvas/Huile sur toile, 38 × 44 cm,
private collection*

Study of a Dancer

Étude de danseuse

Studie einer Tänzerin

Estudio de bailarina

Studio di una ballerina

Studie van een danseres

1873–74, Black chalk on paper/Craie noire avec rehauts de blancs sur papier marouflé, 45,4 × 28,5 cm, private collection

Thérèse de Gas, sister of the artist, later Madame Edmond Morbilli

Thérèse de Gas

Thérèse de Gas, Schwester des Künstlers, spätere Madame Edmond Morbilli

Thérèse de Gas, hermana del artista, más tarde Madame Edmond Morbilli

Thérèse de Gas, sorella dell'artista, poi Madame Edmond Morbilli

Thérèse de Gas, zuster van de kunstenaar, toekomstige Madame Edmond Morbilli

1863, Oil on canvas/Huile sur toile, 89 × 67 cm, Musée d'Orsay, Paris

Léon Bonnat

1863, Oil on canvas/Huile sur toile, 43 × 36 cm, Musée Bonnat, Bayonne

Self Portrait with his friend, the painter Evariste de Valerne

Degas et Évariste de Valernes

Selbstbildnis des Künstlers mit dem befreundeten Maler Évariste de Valernes

Degas y Evariste de Valerne, pintor y amigo del artista

Autoritratto dell'artista con l'amico pittore Evariste de Valerne

Zelfportret van de kunstenaar met de bevriende schilder Evariste de Valerne

1865, Oil on canvas/Huile sur toile, 116 × 89 cm, Musée d'Orsay, Paris

Monsieur and Madame Edouard Manet

Monsieur et madame Édouard Manet

Monsieur und Madame Édouard Manet

Edouard Manet y su mujer

Monsieur e Madame Edouard Manet

Monsieur en Madame Edouard Manet

1868–69, Oil on canvas/Huile sur toile, 65,2 × 71,1 cm, Municipal Museum of Art, Kitakyushu

Portrait of a Young Woman

Portrait de jeune femme

Bildnis einer jungen Frau

Retrato de una mujer joven

Ritratto di una giovane donna

Portret van een jonge vrouw

1867, Oil on canvas/Huile sur toile, 27 × 22 cm, Musée d'Orsay, Paris

Calvary, after a painting by Andrea Mantegna

Calvary, nach einem Gemälde von Andrea Mantegna

Calvario, dopo un dipinto di Andrea Mantegna

Le Calvaire, copie d'après Mantegna

Calvary, según una pintura de Andrea Mantegna

Calvary, naar een schilderij van Andrea Mantegna

1861, Oil on canvas/Huile sur toile, 76 × 96 cm, Musée des Beaux-Arts, Tours

The Daughter of Jephthah

La Fille de Jephté

Die Tochter des Jephta

La hija de Jefté

La figlia di Iefte

De dochter van Jefta

1859–60, Oil on canvas/Huile sur toile, 195,6 × 298,5 cm, Smith College Museum of Art, Northampton MA

The Old Testament story tells of Jephthah, who had to kill his daughter because he had promised God that, following a victorious battle, he would sacrifice the first person seen on his return. Theme and form show that Degas initially understood himself as an academic painter.

Cette histoire de l'Ancien Testament parle du Juge d'Israël Jephté qui dut tuer sa propre fille, parce qu'il avait promis à l'Éternel de Lui sacrifier la première personne qu'il rencontrerait chez lui s'il revenait victorieux d'une bataille décisive. Le sujet et le format choisis montrent que Degas se considère d'abord comme un peintre académique.

Die alttestamentarische Geschichte erzählt von Jephta, der seine Tochter tötet, weil er Gott versprochen hatte, ihm nach siegreicher Schlacht das zu opfern, was er bei seiner Heimkehr zuerst erblickt. Thema und Format lassen erkennen, dass Degas sich zunächst als akademischer Maler versteht.

La historia del Antiguo Testamento menciona a Jefté, que tuvo que matar a su hija porque le había prometido a dios que, después de una batalla victoriosa, sacrificaría lo primero que viera al retornar a casa. El tema y el formato permiten entrever que Degas se entiende inicialmente como un pintor académico.

La storia dell'Antico Testamento racconta di Iefte che dovette uccidere sua figlia perché aveva promesso a Dio di sacrificare chi per primo avesse incontrato al suo ritorno a casa da vincitore. Il tema e il formato lasciano intendere che Degas si ritiene fondamentalmente un pittore accademico.

Het oudtestamentische verhaal vertelt over Jefta, die zijn dochter moest doden omdat hij aan God had beloofd dat hij na een succesvolle veldslag het eerste zou offeren wat hij bij zijn thuiskomst zou zien. Thema en afmeting laten zien dat Degas zich aanvankelijk als academisch schilder beschouwt.

Degas' discovery of modernity

Dissatisfied with the artistic results of his early years, Degas discovered in the early 1860s the life of modern cities. The fashionable racetracks in Longchamp, Auteuil and Vincennes, the world of the Paris Opera and Ballet, the major boulevards and cafés with their singers and seamstresses—these became the central themes of his painting. The writer and art critic Charles Baudelaire (1821–1867) had already, in a text from 1846 entitled "About the heroism of modern life", predicted: "He will be the painter, the true painter, who will understand what is remarkable in life today, who will teach us to understand, with his color or his drawing, how great and how poetic we are in our ties and patent leather boots." Not the historical picture, with its nonsensical idealisations and moralising claims, but the representation of their own present time was the most important task of the young generation of painters. Degas accepted this challenge.

Degas was not only interested in the dazzling side of the Parisian metropolitan society, but also in the struggle for existence of the "little people". Gritty and unsentimental picture series show laundresses and women ironing, going about their daily business. The simplicity of these motifs are echoed in the muted colors and the rough surface of the painting. "He is currently the man who has best succeeded in reflecting contemporary life and capturing its spirit", noted the writer Edmond de Goncourt (1822–1896) following a visit to Degas' studio in 1874.

La découverte de son époque

Mécontent des résultats artistiques de ses premières années, Degas se lance, au début des années 1860, dans la découverte de la vie d'une grande ville moderne. Les hippodromes mondains de Longchamp, Auteuil et Vincennes ; le monde de l'Opéra et de la danse ; les Grands boulevards et les cafés-concerts avec leurs chanteuses et leurs midinettes : tels sont à présent les sujets centraux de sa peinture. L'écrivain et critique d'art Charles Baudelaire (1821–1867) avait déjà prophétisé, à la fin de sa recension du Salon de 1845 : « Au vent qui soufflera demain nul ne tend l'oreille ; et pourtant l'héroïsme de la vie moderne nous entoure et nous presse. Celui-là sera le peintre, le vrai peintre, qui saura arracher à la vie actuelle son côté épique, et nous fera voir et comprendre, avec de la couleur ou du dessin, combien nous sommes grands et poétiques dans nos cravates et nos bottes vernies. » Ce n'est pas le tableau historique avec ses idéalisations boursouflées et ses prétentions moralisantes, mais bien la représentation du présent, qui sera la tâche la plus importante de la jeune génération de peintres. Degas relève ce défi. Ce faisant, il ne s'intéresse pas seulement au côté brillant de la haute société parisienne, mais aussi au combat existentiel des « petites gens ». Sans embellissement ni sentimentalité, Degas représente ainsi une série de blanchisseuses et de repasseuses dans leur travail quotidien. La simplicité des motifs trouve son écho dans les couleurs assourdies et la rugosité des surfaces picturales. L'écrivain Edmond de Goncourt (1822–1896) note : « C'est jusqu'à présent l'homme que j'ai vu le mieux attraper, dans la copie de la vie moderne, l'âme de cette vie. »

Die Entdeckung der eigenen Zeit

Unzufrieden mit den künstlerischen Ergebnissen seiner frühen Jahre, entdeckt Degas Anfang der 1860er Jahre das moderne Großstadtleben. Die mondänen Pferderennbahnen in Longchamp, Auteuil und Vincennes, die Welt der Pariser Oper und das Ballett, die großen Boulevards und Cafés mit ihren Sängerinnen und Modistinnen – das sind nun die zentralen Themen seiner Malerei. Der Literat und Kunstkritiker Charles Baudelaire (1821–1867) hatte bereits 1846 in einem Text mit der Überschrift „Über den Heroismus des modernen Lebens" prophezeit: „Der wird der Maler sein, der wahre Maler, der dem gegenwärtigen Leben seine epische Seite abgewinnen wird, der uns mit seinen Farben oder seiner Zeichnung verstehen lehrt, wie groß und wie poetisch wir in unseren Krawatten und Lackstiefeln sind." Nicht das Historienbild mit seinen verbrämenden Idealisierungen und moralisierenden Ansprüchen, sondern die Abbildung der eigenen Gegenwart wird zur wichtigsten Aufgabe der jungen Malergeneration. Degas nimmt diese Herausforderung an.

Er interessiert sich dabei nicht nur für die schillernde Seite der Pariser Großstadtgesellschaft, sondern auch für den Existenzkampf der „kleinen Leute". Ungeschönt und unsentimental zeigt Degas in einer Serie Wäscherinnen und Büglerinnen bei ihrem Tagwerk. Die Schlichtheit des Motivs findet ihren Widerhall in den gedämpften Farben und der rauen Oberfläche der Gemälde. „Er ist im Moment der Mann, dem es am besten gelingt, das zeitgenössische Leben wiederzugeben und seinen Geist einzufangen", notiert der Schriftsteller Edmond de Goncourt (1822–1896).

Gentlemen's Race. Before the Start

Course de gentlemen. Avant le départ.

1862, Oil on canvas/Huile sur toile, 48,5 × 61,5 cm, Musée d'Orsay, Paris

Degas captured the tense atmosphere before the start of the race in a composition with strong cuts and radical overlaps.

Degas saisit ici l'atmosphère tendue qui règne sur l'hippodrome avant le départ d'une course, dans une composition très architecturée, avec des cadrages radicaux.

Gentlemen-Rennen. Vor dem Start.

Caballeros "jockeys" antes del inicio

Degas erfasst die gespannte Atmosphäre vor dem Start des Rennens in einer Komposition mit starken Anschnitten und radikalen Überschneidungen.

Degas capta la atmósfera de tensión previa al inicio de la carrera en una composición con fuertes cortes e intersecciones radicales.

Corsa di gentiluomini. Prima della partenza.

Gentlemen-paardenrennen. Voor de start

Degas coglie l'atmosfera tesa che precede la partenza in una composizione con forti superfici di taglio e radicali intersezioni.

Degas weet de gespannen sfeer voor de start van het paardenrennen vast te leggen in een compositie met contrasterende snijvlakken en radicale overlappingen.

Racehorses (leaving the weighing)
Rennpferde (beim Verlassen der Waage)
Corsa di cavalli (dopo esser stati pesati)
Chevaux de course (sortie du pesage)
Caballos de carreras (después de pesarse)
Renpaarden (direct na het wegen)

1874–78, Oil on panel/Huile sur panneau, private collection

El descubrimiento de la época propia
Descontento con los resultados artísticos de sus primeros años, Degas descubre la vida moderna de la gran ciudad a principio de 1860. Los hipódromos mundanos en Longchamps, Auteuil y Vincennes, el mundo de la ópera parisina y el ballet, los grandes bulevares y cafeterías con sus cantantes y sus modistas ocupan ahora los temas centrales de su pintura. El literato y crítico de arte, Charles Baudelaire (1821–1867) profetizó en un texto titulado "Sobre el heroísmo de la vida moderna" ya en 1846: "Él será el pintor, el auténtico pintor que encuentre el lado épico de la vida actual, que a través de sus colores o sus dibujos nos enseñe a comprender lo grandes y poéticos que somos con nuestras corbatas y botas de charol." La representación del presente propio, se convertirá en la tarea más importante de la generación joven de pintores y no la pintura de historia con sus idealizaciones adornadas y sus reivindicaciones moralizantes. Degas acepta este reto.

Degas no solo se interesa por el lado abigarrado de la sociedad parisina de la gran ciudad, sino también por la lucha existencial de la "gente sencilla". Degas muestra en una serie de lavanderas y planchadoras en su jornada cotidiana de forma áspera y exenta de sentimiento. La sencillez del motivo responde a los colores atenuados y la superficie rugosa del cuadro. "Él es, en este momento, el hombre que mejor logra expresar la vida contemporánea y captar su espíritu", comenta el escritor Edmond de Goncourt (1822–1896) después de su visita al taller de Degas en el año 1874.

La scoperta del proprio tempo
Insoddisfatto dei risultati artistici dei suoi primi anni, Degas scopre all'inizio del 1860 la vita moderna della grande città. Gli ippodromi mondani di Longchamp, Auteuil e Vincennes, il mondo attorno all'Opera parigina e il balletto, i gran Boulevard e i Caffè con le loro cantanti e modiste – sono questi i soggetti centrali della sua pittura. Il letterato e critico d'arte Charles Baudelaire (1821–1867) aveva predetto già nel 1846 in un testo dal titolo „Sull'eroismo della vita moderna": „Lui diventerà il Pittore, il vero pittore, quello che strapperà alla vita presente le sue epiche pagine, quello che con i suoi colori e tratti ci insegnerà a capire quanto grandi e poetici siamo sotto le nostre cravatte e nei nostri stivali laccati." Non una storia della pittura guarnita di idealizzazioni e pretese morali, bensì la rappresentazione del proprio tempo diventerà il compito più importante della giovane generazione di pittori. Degas accoglie questa sfida.

Egli non s'interessa solo all'aspetto cangiante della società parigina, ma anche alla lotta esistenziale della "piccola gente". Spoglie di ogni trucco e sentimentalismi Degas raffigura una serie di lavandaie e stiratrici durante il loro lavoro quotidiano. L'ordinarietà dei contenuti trova la risonanza nei colori attenuati e nelle superfici grezze dei dipinti. "È in questo momento l'uomo, a cui meglio è riuscito di rappresentare la vita contemporanea e di catturarne lo spirito", ebbe ad annotare nel 1874 lo scrittore Edmond de Goncourt (1822–1896) dopo una visita a Degas nel suo atelier.

De ontdekking van de eigen tijd
Als Degas begin jaren 60 van de 19e eeuw het moderne leven in de grote stad ontdekt, is hij ontevreden met de artistieke resultaten uit zijn jonge jaren. Vanaf nu zijn de mondaine paardenrenbanen in Longchamp, Auteuil en Vincennes, de wereld van de Parijse opera en het ballet, de grote boulevards en cafés met hun zangeressen en modeontwerpsters de centrale thema's in zijn schilderkunst. Dit had de letterkundige en kunstcriticus Charles Baudelaire (1821–1867) al in 1846 voorspeld in een tekst met de titel 'Over het heroïsme van het moderne leven': "De ware schilder is de schilder die het leven van alledag zijn heldhaftige kant weet af te dwingen, die ons met zijn verf of zijn tekenstift leert bevatten hoe groots en poëtisch wij zijn met onze stropdassen en laklaarzen." De jonge generatie schilders ziet het historieschilderij met zijn verbloemde idealiseringen en moralistische pretenties niet langer als belangrijkste opgave, maar juist het verbeelden van de hedendaagse tijd. Degas neemt deze uitdaging aan.

Het gaat hem daarbij niet alleen om de mondaine kant van het Parijse stadsleven, maar ook om de strijd om het bestaan van de 'kleine mens'. In een onverbloemde en onsentimentele serie toont hij was- en strijkvrouwen bij het werk. De eenvoud van het onderwerp uit zich in de doffe kleuren en het ruwe oppervlak van het schilderij. "Hij is de man die het leven van nu het best weergeeft en de tijdgeest weet vast te leggen", schrijft de auteur Edmond de Goncourt (1822–1896) na een bezoek aan het atelier van Degas in 1874.

Jockeys before the Race

Jockeys avant la course

Jockeys vor dem Rennen

Jockeys antes de la carrera

Fantini prima della corsa

Jockeys voor de wedstrijd

1878–79, Oil and pastel on paper/Huile et pastel sur papier, 107,3 × 73,7 cm, Barber Institute of Fine Arts, Birmingham

The Opera Orchestra

L'Orchestre de l'Opéra

Das Orchester der Oper

La orquesta de la Ópera

L'orchestra dell'Opéra

Het orkest van de opera

1870, Oil on canvas/Huile sur toile, 56,5 × 46 cm, Musée d'Orsay, Paris

Fishing Boats Moored in the Harbor

Bateaux de pêche amarrés à l'entrée du port

Fischerboote im Hafen vor Anker

Barcas ancladas en el puerto

Barche di pescatori ancorate al porto

Vissersboten voor anker in de haven

1869, Pastel on paper/Pastel sur papier, 22,5 × 31,5 cm, private collection

Beside the Sea ***Am Meer*** ***Al mare***
Au bord de la mer ***En el mar*** ***Aan zee***
1869, Pastel/Pastel, 24 × 31 cm, private collection

The Laundress

La Repasseuse

Die Wäscherin

La lavandera

La lavandaia

De wasvrouw

1869, Oil on canvas/Huile sur toile, 92,5 × 74 cm, Neue Pinakothek, München

The Laundresses (The Ironing)

Les Blanchisseuses

Die Büglerinnen

La planchadora

Le stiratrici

De strijkvrouwen

1874–76, Oil on canvas/Huile sur toile, 76 × 81,5 cm, private collection

Degas

Excluded from official artistic outlets, the young Impressionists found alternative venues for exchange and self-expression in the cafés and brasseries of Paris. This group, revolving around Manet and including Degas, met initially at the Café Guerbois in what is today the Avenue de Clichy. After 1877, they preferred the Café de la Nouvelle Athènes in the Place Pigalle. Here, art theory and painterly craftsmanship issues were discussed for nights on end. Art dealers, gallerists, collectors and models came and went. It led to heated discussions, disagreements and the formation of cliques: friendships were made and hostilities affirmed. Degas and Manet once came into dispute at the Café so violently that they mutually returned paintings, which they had earlier exchanged.

En dehors des rencontres du marché de l'art, les jeunes impressionnistes trouvent dans les brasseries et les cafés parisiens d'autres lieux d'échanges et d'affirmation de soi. Le groupe réuni autour de Manet – auquel appartient également Degas – se rencontre d'abord au « Café Guerbois », au 9 de l'actuelle avenue de Clichy (à l'époque : Grande rue des Batignolles). Après 1877, ils préfèrent le café de « La Nouvelle-Athènes », au 9 de la place Pigalle. On y discute à longueur de soirées de théories artistiques et de techniques picturales. Marchands d'art, galeristes, collectionneurs et modèles se mêlent aux artistes. De violentes controverses s'y élèvent parfois, avec formation de cliques et disputes passionnées ; des amitiés s'y nouent, des hostilités s'y renforcent. Degas et Manet s'y accrochent une fois si violemment qu'ils se renvoient réciproquement des tableaux qu'ils s'étaient offerts !

Ausgeschlossen vom offiziellen Kunstbetrieb, fanden die jungen Impressionisten in den Pariser Cafés und Brasserien alternative Orte des Austausches und der Selbstdarstellung. Zunächst traf sich die Gruppe um Manet, zu der auch Degas gehörte, im Café Guerbois in der heutigen Avenue de Clichy. Nach 1877 bevorzugten sie das Café de la Nouvelle Athènes auf der Place Pigalle. Hier wurden nächtelang kunsttheoretische und malerisch-handwerkliche Fragen diskutiert. Kunsthändler, Galeristen, Sammler und Modelle gingen ein und aus. Es kam es zu heftigen Diskussionen, Cliquenbildungen oder Zerwürfnissen: Freundschaften wurden geschlossen, Feindschaften bekräftigt. Degas und Manet gerieten dabei einmal so heftig in Streit, dass sie sich gegenseitig geschenkte Gemälde zurückschickten.

Excluidos de la esfera oficial del arte, los jóvenes impresionistas encontraron en las cafeterías y cervecerías parisinas lugares alternativos de intercambio y de autoafirmación. En un principio, el grupo al que Degas pertenecía, se reunía en torno a Manet en la cafetería Guerbois, actual Avenue de Clichy. Después de 1877, prefirieron el café de la Nouvelle Athènes en la Place Pigalle. Aquí, se mantenían duras discusiones durante toda la noche sobre cuestiones de práctica pictórica y teoría artística. Marchantes de arte, galeristas, coleccionistas y modelos entraban y salían. El tono de las discusiones se elevaba, se formaban corrillos, se generaban discordias: Se creaban lazos de amistad y se acentuaban las animadversiones. Degas y Manet mantuvieron en una ocasión una discusión tan fuerte que se devolvieron cuadros que se habían regalado el uno al otro.

Allontanati dalla sfera artistica ufficiale, i giovani Impressionisti trovavano nei Caffe e nelle Brasserie parigine luoghi alternativi per confrontarsi e farsi conoscere. All'inizio il gruppo di Manet, al quale apparteneva anche Degas, s'incontrava al Caffè Guerbois in quella che oggi è la Avenue de Clichy. Dopo il 1877 preferirono ritrovarsi al Caffè de la Nouvelle Athènes su Place Pigalle. Qui venivano discusse durante tutta la notte questioni riguardanti la teoria dell'arte e dell'artigianalità nella pittura. Commercianti d'arte, galleristi, collezionisti e modelle entravano ed uscivano. Si trascendeva in pesanti discussioni, si formavano gruppi chiusi e discordie: furono rotte amicizie e rafforzate inimicizie. Degas e Manet litigarono così aspramente da rimandarsi indietro quadri precedentemente ricevuti in regalo l'uno dall'altro.

De jonge impressionisten zijn van de officiële kunstcommercie uitgesloten en vinden in de Parijse cafés en brasserieën alternatieve plekken om van mening te wisselen en zichzelf te presenteren. Aanvankelijk komt de groep rondom Manet, waartoe ook Degas behoort, in Café Guerbois in de huidige Avenue de Clichy samen. Na 1877 geven ze de voorkeur aan het Café de la Nouvelle Athènes op de Place Pigalle. Hier bespreken ze nachtenlang kunsttheoretische en ambachtelijke vraagstukken over de schilderkunst. Kunsthandelaars, galeriehouders, verzamelaars en modellen lopen in en uit. Er ontstaan heftige discussies, vaste groepjes of juist onenigheden; vriendschappen worden gesloten en vijandschappen onderstreept. Degas en Manet krijgen een keer zo'n ruzie dat ze hun wederzijds geschonken schilderijen aan elkaar retourneren.

In a Café, *or* ***L'Absinthe***

Dans un café *ou* ***L'Absinthe***

Im Café *oder* ***Der Absinth***

En un café *o,* ***La Absenta***

Al Café, *o* ***l'assenzio***

In het café, *of* ***De absint***

1875–76, Oil on canvas/Huile sur toile,
92 × 68 cm, Musée d'Orsay, Paris

Degas and impressionism

After his return from the USA where Degas, accompanied by his brother René, had visited his mother's family, he participated in the preparation and realisation of an exhibition which would go down as the first presentation of Impressionism in art history.

On April 15, 1874, the exhibition opened in the studio of Degas' photographer friend Félix Nadar (1820–1910) in Paris, on the Boulevard des Capucines. 30 artists exhibited 165 paintings. Degas belonged, alongside Camille Pissarro (1830–1903), Claude Monet (1840–1926), Paul Cézanne (1839–1906), Auguste Renoir (1841–1919) and Berthe Morisot (1841–1895), to the core of the loose impressionist artistic community. In contrast to most of the other participants, Degas could feel financially independent through his family's situation, even when it became apparent after his father's death in 1874, that the family bank had been in the red for some time, and

Degas et l'impressionnisme

Après son retour des États-Unis où il a rendu visite à sa famille maternelle en compagnie de son frère René, Degas participe activement à la préparation et à la réalisation de l'exposition qui devait marquer la première manifestation de l'impressionnisme dans l'histoire de l'art.

Le 15 avril 1874, l'exposition est inaugurée dans l'ancien atelier du photographe et ami Félix Nadar (1820–1910), 35 boulevard des Capucines, à Paris. Trente artistes des deux sexes y présentent 165 tableaux. À côté de Camille Pissarro (1830–1903), Claude Monet (1840–1926), Paul Cézanne (1839–1906), Auguste Renoir (1841–1919) et Berthe Morisot (1841–1895), Degas appartient au noyau fondateur de la Société des artistes impressionnistes. À la différence de la plupart des autres participants, il est toutefois st en mesure de se sentir assuré financièrement par la situation de sa famille – même si la mort de son père, cette même année, révèle que les comptes de la branche parisienne de la banque familiale sont depuis assez longtemps

Degas und der Impressionismus

Nach seiner Rückkehr aus den USA, wo Degas zusammen mit seinem Bruder René die Familie mütterlicherseits besuchte, beteiligt er sich an der Vorbereitung und Realisierung der Ausstellung, die als erste Manifestation des Impressionismus in die Kunstgeschichte eingehen sollte.

Am 15. April 1874 wird sie im Atelier des befreundeten Fotografen Félix Nadar (1820–1910) am Boulevard des Capucines in Paris eröffnet. 30 Künstlerinnen und Künstler zeigen 165 Gemälde. Degas gehörte neben Camille Pissarro (1830–1903), Claude Monet (1840–1926), Paul Cézanne (1839–1906), Auguste Renoir (1841–1919) und Berthe Morisot (1841–1895) zum Kern der losen impressionistischen Künstlergemeinschaft. Im Unterschied zu den meisten anderen Beteiligten kann sich Degas durch seine familiäre Situation grundsätzlich finanziell unabhängig fühlen, auch wenn durch den Tod seines Vaters (1874) offenbar wird, dass die Pariser Bank schon

The Cotton Exchange, New Orleans

Un bureau de coton à la Nouvelle-Orléans

Das Baumwollbüro in New Orleans

El depacho de algodón en Nueva Orleans

Il mercato del cotone a New Orleans

Het kantoenkantoor in New Orleans

1873, Oil on canvas/Huile sur toile, 73 × 92 cm, Musée des Beaux-Arts, Pau

Commandingly, Degas masters this multi-figure composition, which functions like a snapshot recording. The people in the family-owned cotton business go about their different tasks, seemingly untroubled by the artist's gaze. Even the framing seems as if chosen casually.

Degas maîtrise souverainement cette composition à personnages multiples, qui a les allures d'un instantané photographique. Les personnages du comptoir de coton familial vaquent à leurs différentes occupations sans se soucier d'être observés. Le cadrage a lui aussi l'air d'être improvisé.

Souverän meistert Degas diese vielfigurige Komposition, die wie eine Schnappschuss-Aufnahme wirkt. Die Personen im familieneigenen Baumwollkontor gehen scheinbar unbeobachtet ihren unterschiedlichen Aufgaben nach. Auch der Bildausschnitt wirkt wie zufällig gewählt.

Degas domina con maestría esta composición de numerosas figuras que se aprecia como una instantánea. Las personas en el despacho de algodón, propiedad de la familia, continúan con sus diversas tareas sin sentirse aparentemente observados. También el encuadre de la imagen parece seleccionado por casualidad.

Degas controlla con grande abilità questa composizione ricca di personaggi, che si presenta come una fotografia istantanea. Le persone nel mercato di cotone, proprietà della famiglia, continuano nei loro diversi compiti senza sentirsi apparentemente osservati. Anche il taglio dell'immagine sembra scelto a caso.

Soeverein beheerst Degas deze met veel figuren bevolkte compositie, die overkomt als een momentopname. De personen in de katoenfabriek van de familie lijken hun werk te doen zonder dat er op ze wordt gelet. Ook de uitsnede lijkt toevallig te zijn gekozen.

Degas y el Impresionismo
Después de su vuelta de Estados Unidos, donde Degas visitó junto con su hermano René a la familia materna, participó en la preparación y realización de la exposición que

Degas e l'Impressionismo
Dopo il suo ritorno dagli Stati Uniti d'America, dove Degas insieme al fratello René visitò i parenti da parte della madre, prese parte alla preparazione e realizzazione

Degas en het impressionisme
Nadat Degas is teruggekeerd uit de Verenigde Staten, waar hij samen met zijn broer René zijn familie van moederszijde had bezocht, neemt hij deel aan de voorbereiding en realisatie

At the Café

Au café

Im Café

En un café

Al Café

In het café

1875–77, Oil on canvas/Huile sur toile, 64 × 53,3 cm, Fitzwilliam Museum, Cambridge

Mademoiselle Dihau at the Piano

Mademoiselle Dihau au piano

Mademoiselle Dihau am Klavier

Mademoiselle Dihau al piano

Mademoiselle Dihau al pianoforte

Mademoiselle Dihau aan de piano

1869–72, Oil on canvas/Huile sur toile, 45 × 32,5 cm, Musée d'Orsay, Paris

Henri Rouart

1871, Oil on canvas/Huile sur toile, 27 × 22 cm, Musée Marmottan Monet, Paris

se reflejaría en la historia del arte como la primera manifestación del Impresionismo.

El 15 de abril de 1874, se inaugura la exposición en el taller de su amigo fotógrafo Félix Nadar (1820–1910), en el Bulevard des Capucines, en París. Treinta artistas presentan 165 cuadros. Degas, junto con Camille Pissarro (1830–1903), Claude Monet (1840–1926), Paul Cézanne (1839–1906), Auguste Renoir (1841–1919) y Berthe Morisot (1841–1895), pertenecía al núcleo de la descarada comunidad artística impresionista. A diferencia de la mayoría de los demás participantes, Degas se sentía básicamente independiente desde el punto de vista económico debido a su situación familiar, incluso cuando, debido a la muerte de su padre (1874), se hizo público que el banco de París sufría pérdidas desde hacía mucho tiempo y las deudas comerciales de su hermano

della mostra che diventò la prima manifestazione dell'Impressionismo nella storia dell'arte.

Il 15 aprile 1974 verrà presentata nell'atelier dell'amico fotografo Félix Nadar (1820–1910) al Boulevard dei Cappuccini a Parigi. Qui 30 artisti esposero 165 dipinti. Degas insieme a Camille Pissarro (1830–1903), Claude Monet (1840–1926), Paul Cézanne (1839–1906), Auguste Renoir (1841–1919) e Berthe Morisot (1841–1895) apparteneva al nucleo della gaudente comunità di artisti impressionisti. A differenza della maggior parte degli altri espositori, Degas, grazie alla sua situazioni familiare, si può ritenere sostanzialmente libero sul piano economico anche se con la morte del padre (1874) si paleserà che la banca parigina da tempo presentava bilanci in rosso tanto che i guai finanziari del fratello costringono alla vendita di

van de tentoonstelling die als eerste manifestatie van het impressionisme de kunstgeschiedenis in zal gaan.

Op 15 april 1874 wordt de tentoonstelling in het atelier van de bevriende fotograaf Felix Nadar (1820–1910) aan de Boulevard des Capucines in Parijs geopend. Dertig kunstenaars laten 165 schilderijen zien. Degas behoort naast Camille Pissarro (1830–1903), Claude Monet (1840–1926), Paul Cézanne (1839–1906), Auguste Renoir (1841–1919) en Berthe Morisot (1841–1895) tot de kern van de losse impressionistische kunstenaarsgemeenschap. Dankzij zijn persoonlijke omstandigheden kan Degas zich, in tegenstelling tot de meeste andere deelnemers, in principe financieel onafhankelijk voelen. Dit ondanks twee situaties: door de dood van zijn vader in 1874 wordt duidelijk dat de Parijse bank al langere tijd in de rode cijfers staat en de zakelijke schulden van zijn broer maken aanzienlijke

Café Concert at Les Ambassadeurs

Le Café-concert des Ambassadeurs

Musik im Café des Ambassadeurs

Música en la cafetería del embajador

Il caffè-concerto agli Ambassadeurs

Het café chantant 'Les Ambassadeurs'

1876–77, Pastel/Pastel sur monotype, 37 × 26 cm, Musée des Beaux-Arts, Lyon

Women on a Café Terrace

Femmes à la terrasse d'un café le soir

Frauen auf einer Caféterrasse

Señoras en la terraza de un café

Donne su un terrazza del caffè

Vrouwen op het terras van een café

1877, Pastel/Pastel sur monotype, 54,5 × 71,5 cm, Musée d'Orsay, Paris

that the business debts of his brother would require considerable sales of Degas' art collection. Unlike Monet or Renoir, after 1873 Degas submitted no further pictures to the annual Salon exhibition, the official showcase of French art. Instead, except in 1882, he exhibited regularly with his artistic friends. Divorced from all artistic differences, what was important to him was his understanding of himself: he saw himself not as an academic, but as an artistic innovator.

dans le rouge ; et les dettes commerciales de son frère obligent par ailleurs le peintre à vendre une partie de sa collection d'art. À partir de 1873, à la différence de Monet ou de Renoir, Degas ne soumet plus aucune toile au Salon qui est la vitrine officielle annuelle de l'art français. Jusqu'en 1882, il expose en revanche avec ses amis artistes. Toutes différences artistiques mises à part, il s'agit pour lui d'une exacte conscience de soi : il ne se considère pas – ou plus – comme un peintre académique, mais comme un rénovateur de l'art.

längere Zeit rote Zahlen schreibt, und die geschäftlichen Schulden seines Bruders beträchtliche Verkäufe aus Degas' Kunstsammlung erforderlich machen. Nach 1873 reicht Degas kein einziges Bild mehr zur jährlichen Salonausstellung ein. Stattdessen stellt er – bis auf 1882 – regelmäßig zusammen mit seinen Künstlerfreunden aus. Abseits aller künstlerischer Differenzen geht es ihm dabei um das eigene Selbstverständnis: Er versteht sich nicht als Akademiker, sondern als ein Erneuerer der Kunst.

obligaron a vender obras considerables de la colección de Degas. Al contrario que en el caso de Monet o Renoir, después de 1873, Degas no ofrece ni una obra más a la exposición anual del Salón de París, la muestra oficial del arte francés. No obstante, hasta 1882, expone con frecuencia junto con sus colegas artistas. Más allá de las diferencias artísticas, se trata de la propia autoconciencia: Degas no se entiende a sí mismo como académico, sino como un renovador del arte.

considerevoli pezzi della collezione d'oggetti d'arte di Degas. A differenza di Monet o Renoir, dopo il 1873 Degas non presenterà più alcun quadro all'annuale Salon, la mostra ufficiale dell'arte francese. Nello stesso tempo fa però con regolarità mostre fino al 1882 con i suoi amici artisti. Al di là di ogni differenza artistica si tratta dell'opinione che ha di se' stesso: lui non si considera un accademico, bensì un innovatore dell'arte.

verkopen uit de kunstverzameling van Degas noodzakelijk. Anders dan Monet of Renoir levert Degas na 1873 geen enkel schilderij meer in voor de jaarlijkse salon, de officiële presentatie van de Franse schilderkunst. Daarentegen exposeert hij, behalve in 1882, regelmatig met zijn kunstenaarsvrienden. Los van de artistieke geschillen gaat het hem daarbij vooral om de notie van zijn eigen identiteit: hij zag zichzelf niet als academicus, maar als kunstvernieuwer.

Café-Concert Singer

Chanteuse de café-concert

Sängerin im Cafékonzert

Cantante en un café-concierto

Cantante di Caffé-Concerto

Zangeres bij concert in café

1878, Pastel on paper/Pastel sur papier, 16,8 × 15,9 cm, private collection

Portrait of a Man Standing with his Hands in his Pockets *(study for **Interior**)*

Portrait d'un homme avec les mains dans les poches *(Étude pour l'**Intérieur**)*

Porträt eines Mannes, mit seinen Händen in den Hosentaschen stehend *(Studie für das **Interieur**)*

Retrato de un hombre, de pie con las manos en los bolsillos *(estudio para **El interior**)*

Ritratto di un uomo in piedi con le mani in tasca *(Studio per **l'interno**)*

Portret van een staande man met zijn handen in zijn zakken *(studie voor het **Interieur**)*

1868–69, Oil on panel/Huile sur panneau, 35 × 27 cm, private collection

People and space
Degas succeeded masterfully in conveying, through a figure's compositional positioning in a room, the internal and external condition of that person. Like a skilled director, he staged the 1868–69 painting *Interior* in a subtle yet unmistakable way, reflecting conditions of aggression and anxiety in a relationship between a man and a woman: the view opens in a diffusely illuminated bedroom which resembles a theater stage. A man leans, legs astride, against the door, while a young partially dressed woman slumps against a chair, exposed in the bright light of a lamp. The helplessness of the woman, the dominance of the man and the lack of communication between them speaks for itself, without Degas having to tell the story.

Even more spectacularly effective is *Miss La La at the Cirque Fernando,* a picture shown during 1879 in the fourth Impressionist exhibition. The composition refers to the breathtaking performance of an acrobat: seen from the perspective of the audience below she is completely isolated, hanging only by her teeth on the wire. Her extremely fragile, exposed situation is exacerbated by the dominant diagonals of the dome structure and her positioning away from the image center. Despite the location, in a probably crowded vaudeville theater, she floats completely alone in the emptiness of space.

Degas also approached, in a similar way, one of his central motifs: the ballet. Over twenty years, from 1870 to 1890, countless images were created which explored almost all aspects of the subject. The portrayals, in hazy pastels,

L'homme dans l'espace de la représentation
Degas réussit magistralement à exprimer la situation intérieure et extérieure d'un être humain par son positionnement dans le champ iconographique – c'est-à-dire par la composition. Dans *Intérieur,* tableau de 1868–1869, par exemple, il met en scène très subtilement mais sans aucune ambiguïté les rapports d'agression et de peur entre un homme et une femme. La vue s'ouvre sur une chambre à coucher éclairée de façon diffuse, qui fait l'effet d'une scène de théâtre ; un homme est calé contre la porte à droite, jambes écartées, mains dans les poches, dominateur ; une jeune fille ou jeune femme à l'épaule dénudée est penchée sur un fauteuil à gauche, sous la lumière d'une lampe. Le désarroi impuissant de la femme prostrée, la domination de l'homme au visage fermé, et l'absence de toute communication entre les deux protagonistes, sont immédiatement perceptibles sans que Degas ait eu besoin de raconter une histoire ni d'expliciter le titre.

Présenté en 1879 à la Quatrième Exposition expressionniste, le tableau intitulé *Mademoiselle La La au cirque Fernando* est d'un effet encore plus spectaculaire. La composition correspond parfaitement à la représentation extraordinaire de l'acrobate, vue sous l'angle du public, en contre-plongée : elle est suspendue à la corde par la seule puissance de ses dents ! La fragilité extrême et très exposée de sa situation est encore accentuée par le surplomb des diagonales des étais de la coupole, et par le décentrage de sa position dans le champ iconographique. Au-dessus

Der Mensch im Raum
Degas gelingt es meisterhaft, die innere und äußere Situation eines Menschen durch seine Positionierung im Raum, also kompositorisch, zum Ausdruck zu bringen. Wie ein geschickter Regisseur inszeniert er etwa im 1868/69 entstandenen *Interieur* auf subtile und doch unmissverständliche Weise ein von Aggression und Angst geprägtes Verhältnis zwischen Mann und Frau: Der Blick öffnet sich in ein diffus beleuchtetes Schlafzimmer, das wie eine Theaterbühne wirkt. Ein Mann lehnt raumgreifend und breitbeinig an der Tür, während ein junges Mädchen entblößt im hellen Licht einer Lampe zusammengesunken auf einem Stuhl sitzt. Die Hilflosigkeit der Frau, die Dominanz des Mannes und die Sprachlosigkeit zwischen beiden vermitteln sich, ohne dass Degas eine Geschichte erzählt. Noch spektakulärer wirkt das 1879 in der vierten Ausstellung der Impressionisten gezeigte Bild *Miss La La in der Zirkuskuppel.* Die Komposition entspricht der atemberaubenden Darbietung der Akrobatin: Aus der Perspektive des Publikums ist sie von unten, völlig isoliert, nur mit den Zähnen am Seil hängend zu sehen. Ihre äußerst fragile, ausgesetzte Situation wird durch die dominierenden Diagonalen der Kuppelkonstruktion und ihre aus dem Bildmittelpunkt herausgerückte Position noch verstärkt. Mitten im vermutlich dicht besetzten Varieté schwebt sie völlig allein in der Leere des Raums.

In ähnlicher Weise nähert sich Degas auch einem seiner zentralen Motive: dem Ballett. Über zwanzig Jahre, zwischen 1870 und 1890, entstehen unzählige Darstellungen, die nahezu alle Aspekte des Themas ausloten. Die Schönheit

Interior
Intérieur
Interieur
El interior
Veduta d'interno
Interieur
1868–69, Oil on canvas/Huile sur toile, 81,3 × 114,3 cm, Philadelphia Museum of Art, Philadelphia

El Ser Humano en el espacio
Degas logra expresar con maestría desde el punto de vista de la composición la situación interior y exterior de una persona mediante

L'uomo nella stanza
Degas riesce a esprimere maestralmente la situazione interna ed esterna dell'uomo attraverso la sua collocazione nella stanza,

De mens in de ruimte
Door de manier waarop Degas de mens in de ruimte positioneert, dus compositorisch, lukt het hem uitstekend om diens innerlijke en uiterlijke

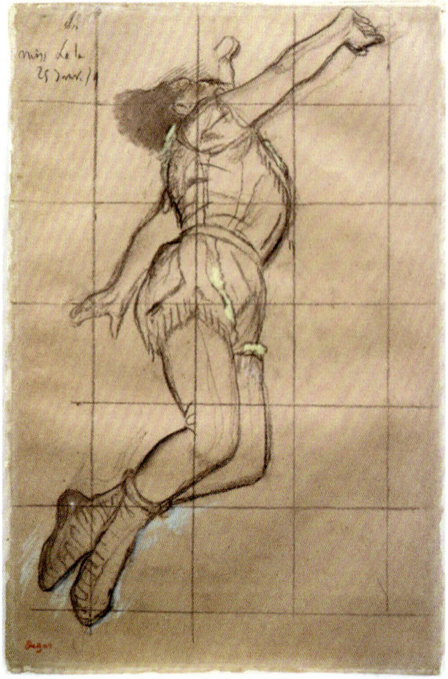

Miss La La at the Cirque Fernando

Miss La La au cirque Fernando

Miss La La im Zirkus Fernando

Miss La La en el Circo Fernando

Miss La La al Circo Fernando

Miss La La in het circus Fernando

1879, Black chalk and pastel on paper/Craie noire et touches de pastel sur papier, 47 × 32 cm, Barber Institute of Fine Arts, Birmingham

Miss La La at the Cirque Fernando

Miss La La au cirque Fernando

Miss La La im Zirkus Fernando

Miss La La en el Circo Fernando

Miss La La al Circo Fernando

Miss La La in het circus Fernando

1879, Oil on canvas/Huile sur toile, 116,8 × 77,5 cm, National Gallery, London su posicionamiento en el espacio. Como si se tratara de un habilidoso director, Degas escenifica *Interior,* entre 1868 y 1869 aproximadamente, donde muestra de forma sutil pero inequívoca una relación entre un hombre y una mujer marcada por la agresión y el miedo: La mirada se abre en un dormitorio de iluminación difusa que parece el escenario de un teatro. Un hombre voluminoso se apoya en la puerta con los pies bien separados, mientras una chica joven despojada a la luz clara de una lámpara, se sienta desplomada en una silla. La indefensión de la mujer, la dominancia del hombre y el mutismo entre ambos se transmiten sin que Degas cuente una historia. Aún más espectacular resulta el cuadro expuesto en 1879 en la cuarta exposición de los impresionistas *Miss La La en el Circo Fernando.* La composición equivale al vertiginoso ofrecimiento de la acróbata: Desde la perspectiva del público, se la aprecia desde abajo, completamente sola, solo mordiendo la cuerda colgante. Su situación expuesta y sumamente delicada destaca aún más mediante las diagonales dominantes de la cúpula y su posición descentrada desde el punto medio de la imagen. Ella planea totalmente sola en el vacío del espacio sobrevolando el espectáculo de Varieté, probablemente muy concurrido.

De manera similar, Degas se acerca a su motivo central: el ballet. Durante más de veinte años, entre 1870 y 1890, crea innumerables representaciones que sondean prácticamente todos los aspectos del tema. La belleza de la danza, la elegancia y la gracia de las

quindi attraverso la composizione. Da abile regista ha inscenato il quadro del 1868/69 *Veduta d'interno* in modo sottile ma inequivocabile, riflettendo le condizioni di ansia e aggressività in una relazione tra un uomo e una donna: lo sguardo si apre su una camera da letto con luce diffusa che funge da palco di un teatro. Un uomo di grande stazza si appoggia a gambe larghe a una porta mentre una giovane ragazza spogliata siede accasciata su una sedia alla luce chiara di una lampada. L'essere inerme della ragazza, la dominanza dell'uomo e la mancanza di parola tra i due sono trasmessi senza che Degas racconti una storia. In modo ancora più spettacolare funziona il quadro mostrato nella quarta mostra degli Impressionisti del 1879, *Mademoiselle La La al Circo Fernando.* La composizione equivale all'esecuzione mozzafiato dell'acrobata: la si vede secondo la prospettiva del pubblico, da sotto, completamente isolata, aggrappata alla fune solo con i denti. La sua situazione estremamente delicata e temeraria si distacca attraverso le diagonali dominanti della cupola e viene rafforzata maggiormente dalla posizione decentrata. Oscilla solitaria nel vuoto dello spazio sorvolando sullo spettacolo probabilmente sovraffollato.

Con una simile tattica Degas si avvicina a uno dei suoi temi centrali: il balletto. In più di vent'anni, tra il 1870 e il 1890, hanno origine innumerevoli rappresentazioni che sondano qui tutti gli aspetti sul tema. La bellezza della danza,

situatie tot uitdrukking te brengen. Als behendig regisseur ensceneert hij bijvoorbeeld in het in 1868/1869 ontstane *Interieur* op subtiele en toch onmiskenbare wijze een verhouding tussen man en vrouw die door agressie en angsten wordt beheerst: we kijken in een diffuus belichte slaapkamer die de indruk maakt van een toneel. Een man leunt breeduit tegen de deur en neemt daarbij veel ruimte in, terwijl een bloot, jong meisje in het felle licht van een lamp in elkaar gedoken op een stoel zit. De hulpeloosheid van de vrouw, de dominantie van de man en het feit dat ze niet met elkaar praten, maken veel duidelijk zonder dat Degas ons daadwerkelijk een verhaal vertelt. Het schilderij *Miss La La in het circus Fernando,* dat in 1879 tijdens de vierde tentoonstelling van de impressionisten te zien was, werkt nog spectaculairder. De compositie komt met de adembenemende opvoering van de acrobate overeen: vanuit het perspectief van het publiek zien wij haar van onderaf, volledig geïsoleerd, slechts met haar tanden hangend aan het koord. Haar uiterst fragiele, stilgelegde positie wordt nog benadrukt door de dominerende diagonalen van de koepelconstructie en door het feit dat ze zich niet in het middelpunt van het schilderij bevindt. In het vermoedelijk dichtbevolkte variété zweeft ze toch volledig alleen in de lege ruimte.

Op een soortgelijke manier benadert Degas ook een van zijn centrale onderwerpen: het ballet. In een periode van twintig jaar, tussen 1870 en 1890, ontstaan er talloze afbeeldingen die bijna alle aspecten van dit thema doorgronden. De schoonheid van de dans en de elegantie en bevalligheid van

Two Dancers Resting

Deux danseuses se reposant

Zwei Tänzerinnen beim Ausruhen

Dos bailarinas descansando

Due ballerine a riposo

Twee danseressen tijdens het uitrusten

1874, Pastel/Pastel, private collection

Dancer in Front of a Window (dancer at the photographer's studio)

Danseuse devant la fenêtre *ou* ***Danseuse chez le photographe***

Tänzerin beim Fotografen

Bailarina posando para un fotógrafo

Ballerina in posa per il fotografo

Danseres bij de fotograaf

1874–77, Oil on canvas/Huile sur toile, 65 × 50 cm, Pushkin State Museum of Fine Arts, Moscow

present an ideal match, illustrating the beauty of dance, together with the elegance and grace of the young dancers.

Synchronous movement in space interested Degas just as much as the

d'une salle de cirque sans doute remplie, « Mademoiselle La La » plane totalement dans un espace vide.

Le mouvement synchrone dans l'espace intéresse ici Degas tout autant que le dévoilement de l'illusion théâtrale.

des Tanzes, die Eleganz und Grazie der jungen Tänzerinnen erfährt vor allem in duftigen Pastellen eine kongeniale Übersetzung.

Die synchrone Bewegung im Raum interessiert Degas dabei ebenso wie die

Ballet Practice

Cours de danse

Ballett-Übung

Ejercicio de ballet

Esercizio di balletto

Balletoefening

1875, Gouache and pastel on paper/Gouache et pastel sur papier, 55,7 × 68 cm, private collection

The ballet scene from Meyerbeer's opera 'Robert le Diable'

Scène de ballet de l'opéra Robert le diable de Meyerbeer

Das Ballett von Robert le Diable

El ballet de Robert le Diable

Il balletto di Roberto il diavolo

Het ballet van Robert le Diable

1876, Oil on canvas/Huile sur toile, 76,6 × 81,3 cm, Victoria and Albert Museum, London

bailarinas jóvenes experimenta una transcripción congenial, sobre todo mediante vaporosos tonos pastel.

El movimiento síncrono en el espacio interesa a Degas tanto como el descubrimiento de la ilusión del

l'eleganza e la grazia delle giovani ballerine trovano una congeniale trascrizione attraverso toni vaporosi pastellati.

Il movimento sincrono nello spazio interessa a Degas come

de jonge danseressen wordt vooral in subtiele pastelwerken en op congeniale wijze overgebracht.

De belangstelling van Degas gaat niet alleen uit naar de synchrone beweging in de ruimte, maar ook naar

Le Foyer de l'Opéra ***Vorbereitung zum Tanz*** ***Preparativi alla danza***
Le Foyer de l'Opéra ***Preparación para el baile*** ***Voorbereiding op de dans***
1877–82, Pastel on board/Pastel sur panneau, 60,9 × 95,2 cm, Kelvingrove Art Gallery and Museum, Glasgow

workings of theatrical illusion. He often, therefore, selected a rehearsal situation, or a perspective that combined a stage situation with a glimpse behind the scenes. Behind the seeming ease of the turns and jumps, one can perceive the hard

C'est pourquoi il choisit fréquemment une situation de répétition ou bien une perspective unissant une vue de scène et un aperçu dans les coulisses. Derrière la légèreté des voltes et des sauts, on devine ainsi le dur travail d'entraînement des ballerines souvent issues de milieux

Entlarvung der Theaterillusion. Häufig wählt er deshalb eine Probensituation oder eine Perspektive, die eine Bühnensituation mit einem Blick hinter die Kulissen verbindet. Hinter der Leichtigkeit der Drehungen und Sprünge lässt sich so die harte Arbeit der

The Rehearsal ***Die Probe*** ***La prova***
La Répétition ***El ensayo*** ***De repetitie***
1877, Oil on canvas/Huile sur toile, 58,4 × 83,8 cm, Burrell Collection, Glasgow

teatro. Por eso, a menudo elige los ensayos o una perspectiva que enlace una escena sobre las tablas con una visión detrás de bambalinas. Detrás de la ligereza de los giros y saltos se vislumbra el trabajo duro de las motivadísimas bailarinas,

lo smascheramento nel Teatro dell'illusione. Spesso infatti sceglie le prove generali o una prospettiva che unisce il teatro visto dalla scena e da dietro il sipario. Dietro la leggerezza delle piroette e dei salti si può intravedere il duro lavoro delle

de ontmaskering van de theaterillusie. Daarom kiest hij vaak voor een oefensituatie of voor een perspectief dat het toneel met de situatie achter de coulissen verbindt. Achter het ogenschijnlijke gemak van de draaien en sprongen kunnen we zo het harde werk

The Star, *or* ***Dancer on the Stage***

L'Étoile

Die Primaballerina, *oder* ***Tänzerin auf der Bühne***

La estrella *o* ***la Bailarina en el escenario***

La Prima Ballerina, *o* ***la danzatrice sulla scena***

De primaballerina, *of* ***de danseres op het toneel***

1876–77, Pastel/Pastel sur monotype, 60 × 44 cm, Musée d'Orsay, Paris

Dancers at the Bar

Danseuses à la barre

Tänzerinnen an der Ballettstange

Bailarinas en la barra

Ballerine alla sbarra

Danseressen aan de barre

1877–79, Pastel on paper/Pastel sur papier marouflé , 66 × 51 cm, private collection

work of the highly motivated and mostly poorly paid dancers.

Classical ballet experienced in those years an artistic decline. The heyday of romantic choreography had passed, whilst modern forms did not develop until the early 20th century.

modestes et d'autant plus motivées, mais fort mal payées la plupart du temps.

Le ballet classique connaît alors un véritable déclin artistique. La grande époque des chorégraphies romantiques est finie depuis longtemps ; et les formes modernes ne se développeront ensuite qu'au début du XXe siècle.

hochmotivierten und zumeist schlecht bezahlten Tänzerinnen erahnen.

Das klassische Ballett erlebt in diesen Jahren einen künstlerischen Niedergang. Die große Zeit der romantischen Choreografien ist bereits überschritten; moderne Formen entwickeln sich erst Anfang des 20. Jahrhunderts.

Dancer with Bouquet, curtseying

Danseuse au bouquet

Tänzerin auf der Bühne

Bailarina en el escenario

Ballerina sulla scena

Danseres op het toneel

1877, Pastel on paper/ Pastel sur papier marouflé sur toile, 72 × 77,5 cm, Musée d'Orsay, Paris

mal retribuidas en la mayoría de ocasiones.

Durante estos años el ballet clásico vive en decadencia artística. La gran época de las coreografías románticas ya ha pasado; las formas modernas se empiezan a desarrollar a principios del siglo XX.

ballerine molto determinate quanto spesso mal pagate.

Il balletto classico in questi anni viveva un decadimento artistico. Il gran tempo delle coreografie romantiche è ormai superato; le forme moderne si iniziano a svilupparsi solo all'inizio del XX Secolo.

van de zeer gemotiveerde en meestal slecht betaalde danseressen vermoeden.

Het klassieke ballet beleeft in deze jaren een artistieke neergang. De tijd van de grote romantische choreografieën is al voorbij; moderne vormen ontwikkelen zich pas in het begin van de twintigste eeuw.

Dancer in her Dressing Room

Danseuse dans sa loge

Tänzerin in ihrer Garderobe

Bailarina en su vestuario

Ballerina nel camerino

Danseres in haar kleedkamer

1879, Pastel and peinture à l'essence on canvas/Dessin, pastel et peinture à l'essence sur toile, 87,9 × 37,7 cm, Cincinnati Art Museum, Cincinnati

The Dance Lesson ***Tanzunterricht*** ***Lezione di danza***
La Leçon de danse ***Clase de danza*** ***Dansles***
1879, Oil on canvas/Huile sur toile, 38 × 88 cm, National Gallery of Art, Washington

Degas

The Rehearsal of the Ballet on Stage

La Répétition du ballet sur scène

Die Ballettprobe auf der Bühne

El ensayo de ballet sobre el escenario

La prova di balletto sulla scena

De balletrepetitie op het toneel

1878–79, Pastel on paper/Pastel sur dessin au pinceau et à l'encre sur papier vélin couché sur bristol et monté sur toile, 52,1 × 70,8 cm, Metropolitan Museum of Art, New York

Dancer against a Stage Flat

Tänzerin hinter einer Kulisse

Tänzerin hinter einer Kulisse

Bailarina detrás de bambalinas

Ballerina dietro il palco

Danseres achter een coulisse

1880, Tempera and pastel on paper/ Tempera et pastel sur papier, 69 × 48 cm, private collection

Auguste Renoir & Stéphane Mallarme

photo, Bibliothèque Littéraire Jacques Doucet, Paris

Edgar Degas, Paris

c. 1905, photo

The relatively new medium of photography encouraged Degas to use unusual perspectives, surprising image sections and asymmetric compositional ideas. He experimented extensively with this technique: "Monsieur Degas thinks only of photography. He has invited us next week for dinner with them and will photograph us in artificial light", noted Julie Manet, the daughter of the painter Berthe Morisot, during 1895 in her diary.

Le medium encore tout nouveau de la photographie attire Degas pour sa perspective inhabituelle, ses cadrages surprenants et ses compositions asymétriques. L'artiste multiplie les expériences avec cette technique : « Monsieur Degas ne pense plus qu'à la photographie. Il nous invite à dîner chez lui la semaine prochaine et nous photographiera à la lumière artificielle », note dans son Journal, en 1895, Julie Manet, fille unique de Berthe Morisot et Eugène Manet.

Das noch recht neue Medium der Fotografie sensibilisiert Degas für ungewöhnliche Blickwinkel, überraschende Bildausschnitte und asymmetrische Kompositionen. Er experimentiert intensiv mit dieser Technik: „Monsieur Degas denkt nur noch an die Fotografie. Er lädt uns nächste Woche zum Diner bei sich ein und wird uns bei künstlichem Licht fotografieren", notiert Julie Manet, die Tochter der Malerin Berthe Morisot, 1895 in ihrem Tagebuch.

El nuevo medio de la fotografía, todavía en ciernes, sensibiliza a Degas por los ángulos de visión inusitados, las sorprendentes imágenes y las composiciones asimétricas. Experimenta de manera intensa con esta técnica: "El señor Degas solo piensa en la fotografía. Nos invita la próxima semana a cenar a su casa y nos va a fotografiar con luz artificial", apunta en su diario Julie Manet, la hija de la pintora Berthe Morisot, 1895.

L'ancora nuovo mezzo della fotografia sensibilizzò Degas in un eccezionale angolo visuale, sorprendenti tagli d'immagine e composizioni asimmetriche. Sperimentò intensamente questa tecnica: "Il Sig. Degas pensa solo alla fotografia. La prossima settimana ci invita a cena e ci fotograferà con una luce artificiale" annota nel 1895 nel suo diario Julie Manet, la figlia della pittrice Berthe Morisot.

Het dan nog nieuwe medium fotografie maakt Degas gevoelig voor ongewone perspectieven, verrassende uitsneden en asymmetrische composities. Hij experimenteert intensief met deze techniek: "Monsieur Degas denkt nog slechts aan de fotografie. Hij nodigt ons volgende week voor een diner bij hem uit en zal ons bij kunstlicht fotograferen", schrijft Julie Manet, de dochter van de schilder Berthe Morisot in 1895 in haar dagboek.

Degas

Dancers at Rest

Danseuses au repos

Tänzerinnen, sich ausruhend

Bailarinas descansando

Ballerine a riposo

Danseressen die uitrusten

1885, Pastel on paper /Pastel sur papier, 51,3 × 49,5 cm, private collection

Seated Dancer

Danseuse assise

Sitzende Tänzerin

Bailarina sentada

Ballerina seduta

Zittende danseres

1871–83, Pastel on paper/Pastel sur papier marron contrecollé sur cartion, 62 × 49 cm, Musée d'Orsay, Paris

The Pedicure

La Pédicure

Die Fußpflege

La pedicura

La pedicure

De voetverzorging

1873, Oil on paper laid on canvas/Peinture à l'huile et à l'essence sur papier marouflé sur toile, 61 × 46 cm, Musée d'Orsay, Paris

The Race Course—Amateur Jockeys near a Carriage

Die Rennstrecke – Amateurjockeys in der Nähe einer Kutsche

Il percorso della gara – Un fantino dilettante vicino a una carrozza

Le Champ de courses. Jockeys amateurs près d'une voiture.

El circuito de la carrera, un jockey aficionado cerca del carruaje

De renbaan – amateurjockeys in de buurt van een koets

1876–87, Oil on canvas/Huile sur toile, 66 × 81 cm, Musée d'Orsay, Paris

Before the Race ***Vor dem Rennen*** ***Prima della corsa***

Avant la ctourse ***Antes de la carrera*** ***Voor de race***

1882, Oil on panel/Huile sur panneau, 26,5 × 34,9 cm, Clark Art Institute, Williamstown

At the Stock Exchange, portrait of financier and collector Ernest May

Portraits à la Bourse

Porträt an der Börse, der Finanzmann Ernest May

Retrato en la Bolsa, el banquero Ernest May

Ritratto alla Borsa, il finanziere Ernest May

Portret op de beurs, de financier Ernest May

1878–79, Oil on canvas/Huile sur toile, 100 × 82 cm, Musée d'Orsay, Paris

Mademoiselle Dumay, singer

Mademoiselle Dumay, Chanteuse

Mademoiselle Dumay, Sängerin

Mademoiselle Dumay, cantante

Mademoiselle Dumay, cantante

Mademoiselle Dumay, zangeres

1879, Pastel on paper/Pastel sur monotype, 16 × 12 cm, private collection

Edmond Duranty

1879, Gouache and pastel on linen/Gouache et pastel sur lin, 100,9 × 100,9 cm, Burrell Collection, Glasgow

Portrait of Henri Michel-Lévy in his Studio

Portrait de Henri Michel-Lévy dans son atelier

Der Künstler im Atelier

El artista en el taller

L'artista nel suo Atelier

Portret van de kunstenaar Henri Michel-Lévy in zijn atelier

1873, Oil on canvas/Huile sur toile, 41 × 27 cm, Museu Calouste Gulbenkian, Lisboa

Young Girls looking at an Album

Junge Mädchen, ein Fotoalbum betrachtend

Giovane ragazza mentre guarda un album fotografico

Jeunes filles regardant un album-photo

Chicas jóvenes contemplando un álbum de fotos

Jonge meisjes die een fotoalbum bekijken

1884, Pastel on paper laid down on card/Pastel sur papier marouflé sur carte, 40,6 × 74 cm, private collection

Woman in her Bath, sponging her leg

Frau im Bad wäscht ihr Bein

Donna in bagno mentre si insapona una gamba

Femme dans son bain s'épongeant la jambe

Mujer en el baño se frota su pierna

Vrouw in bad die haar been wast

1883–84, Pastel on paper/Pastel sur monotype, 19,7 × 41 cm, Musée d'Orsay, Paris

From the 1870s on, Degas worked with pastel technique and mastered it to a great level of virtuosity. The intense luminosity of the colors is as impressive as the velvety texture. Although the material world is precisely represented, Degas' painterly fusion processes often results in surprising degrees of abstraction.

À partir des années 1870, Degas travaille avec la technique du pastel, dans laquelle il atteint une grande virtuosité. La luminosité intense des couleurs impressionne tout autant que la texture soyeuse des surfaces. Même si le monde matériel y est saisi de façon précise, les transitions fondues produisent parfois un degré d'abstraction surprenant.

Seit den 1870er Jahren arbeitet Degas mit der Pastelltechnik und gelangt dabei zu großer Virtuosität. Die intensive Leuchtkraft der Farben beeindruckt ebenso wie die samtene Oberflächenstruktur. Obwohl die Dingwelt präzise erfasst wird, erzeugen malerische Verschmelzungsprozesse teilweise einen überraschenden Abstraktionsgrad.

Desde los años 1870, Degas trabaja con la técnica de pastel y logra con ella su máximo virtuosismo. La intensa fuerza luminosa de los colores impresiona igual que la estructura satinada de la superficie. A pesar de captar los objetos precisos, los procesos pictóricos de fundido generan en parte un grado de abstracción sorprendente.

Dal 1870 Degas lavora con una tecnica a pastello raggiungendo con questa il massimo del suo virtuosismo. L'intensa forza luminosa dei colori impressiona addirittura la struttura vellutata. Nonostante il mondo oggettivo venga rappresentato con precisione, i processi di fusione pittorica generano un sorprendente grado di astrazione.

Vanaf 1870 werkt Degas met pasteltechniek waarmee hij grote virtuositeit bereikt. De krachtige lichtintensiteit van de kleuren maakt net zo'n grote indruk als de fluwelige oppervlaktestructuur. Hoewel concrete onderwerpen nauwkeurig in beeld worden gebracht, zorgen schilderachtige versmeltingsprocessen voor een verrassende, gedeeltelijke abstractie.

Ballerina on Pointe (Green Dancers)

Danseuse basculant** ou **Danseuse en vert

Die grünen Tänzerinnen

Las bailarinas de verde

Le ballerine in verde

De groene danseressen

1877–79, Pastel and white chalk on paper/Pastel et gouache sur papier, 64 × 36 cm, Museo Thyssen-Bornemisza, Madrid

Ballet Scene ***Ballettszene*** ***Scena di un balletto***

Scène de ballet ***Escena de ballet*** ***Balletscène***

1879, Pastel over monotype/Pastel sur papier, 20,3 × 40,6 cm, private collection

The Pas Battu

Le Pas battu

Der Pas Battu

"Le Pas Battu"

Les Pas Battu

Balletpas Battu

1879, Pastel over monotype on paper/Pastel sur monotype, 27,6 × 29,6 cm, private collection

Breakfast after a Bath

Petit-déjeuner après le bain

Frühstück nach dem Bad

Desayuno después del baño

La colazione dopo il bagno

Ontbijt na het baden

1883, Pastel on paper/Pastell auf Papier, 121 × 93 cm, private collection

Dancer fastening her Pump

Danseuse laçant ses chaussons

Tänzerin, ihren Schuh bindend

Bailarina atándose la zapatilla

Ballerina che si allaccia una scarpetta

Danseres die haar schoen vastmaakt

1880–85, Pastel and black chalk on buff paper/Pastel et craie noire sur papier, 47,2 × 43 cm, private collection

The Brothel ***Das Bordell*** ***Il bordello***

La Maison close ***El burdel*** ***Het bordeel***

1879, Pastel and monotype on paper/Pastel sur monotype, 14 × 20,5 cm, private collection

The Millinery Shop

La Boutique de chapeaux

Das Hutgeschäft

La sombrerería

Nel negozio di cappelli

De hoedenwinkel

1879–86, Oil on canvas/Huile sur toile, 100 × 110,7 cm, Art Institute of Chicago, Chicago

On Stage

Sur scène

Auf der Bühne

Sobre el escenario

Sulla scena

Op het toneel

1879–81, Pastel on paper/Pastel sur papier, 58,5 × 44,8 cm, private collection

Woman in the Bath

Femme au bain

Frau in der Wanne

Mujer en la bañera

Donna nella vasca da bagno

Vrouw in de badkuip

1884, Pastel on paper/Pastel sur papier, 21 × 25 cm, Kelvingrove Art Gallery and Museum, Glasgow

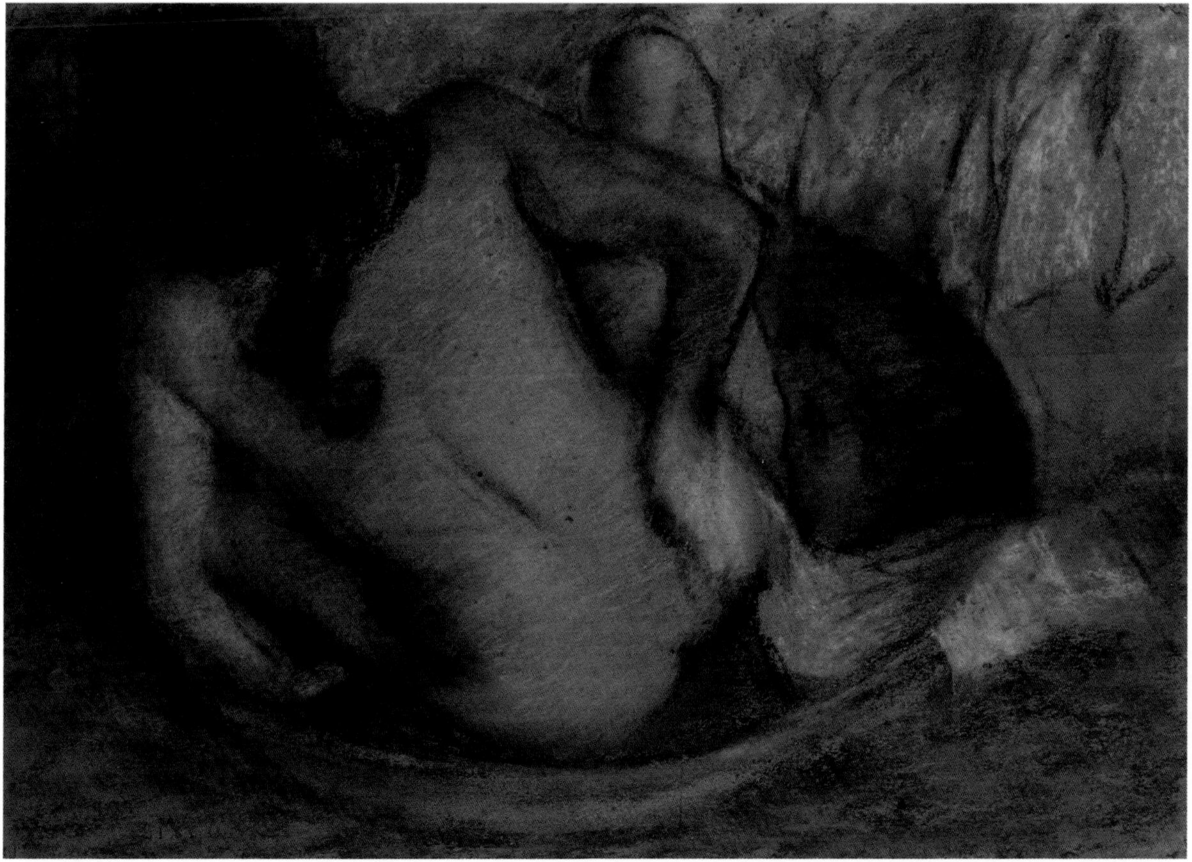

Self-styled "protectors" often exploited the socially and financially uncertain situations of young dancers in the corps de ballet by ruthlessly "selling" access to their dressing rooms, and thereby sexual services, to men of noble "jockey clubs". With their social position, these men ensured that every opera was provided with at least one ballet section. However, never in the first act—since one was still sat at supper.

Des « protecteurs » autoproclamés – véritables entremetteurs – exploitaient souvent impitoyablement la situation sociale et financière précaire des jeunes danseuses du corps de ballet et vendaient l'accès à leurs faveurs sexuelles aux membres distingués du « Jockey Club ». La position sociale élevée de ces derniers leur permettait d'imposer que chaque opéra représenté fût doté d'un ballet permettant de mettre en valeur leurs jeunes protégées. Condition de rigueur pour ledit ballet : jamais au premier acte, car les noceurs du « Jockey Club » étaient encore à table pour le souper…

Selbsternannte „Beschützer" nutzten häufig die soziale und finanziell unsichere Situation der jungen Tänzerinnen des Corps de ballet rücksichtslos aus und „verkauften" den Zugang zu ihren Garderoben und damit sexuelle Leistungen an Herren des vornehmen „Jockey Clubs". Mit ihrer gesellschaftlichen Stellung sorgten diese Männer wiederum dafür, dass jede Oper mit mindestens einer Balletteinlage versehen wurde. Allerdings nie im ersten Akt – da saß man nämlich noch beim Souper.

Con frecuencia, los autoproclamados "protectores" se aprovechan sin miramientos de la incertidumbre social y financiera de las jóvenes bailarinas del cuerpo de baile (Corps de ballet) *y "vendían" el acceso a sus vestuarios para ofrecer favores sexuales a los hombres del distinguido Club de Jockey. A cambio, estos hombres de buena posición social cuidaban de que en cada ópera se ofreciera al menos una actuación de ballet, aunque evidentemente, esta nunca tenía lugar en el primer acto porque el público continuaba aún cenando.*

Gli autoproclamatisi "protettori", sfruttando spesso spietatamente l'incerta situazione sociale e finanziaria delle giovani ballerine del Corpo di ballo, "vendevano" l'ingresso ai loro camerini e insieme a questo le prestazioni sessuali ai signori degli elitari "Jockey Club". Grazie alla loro posizione in società questi uomini garantivano che per ogni opera ci fosse un balletto. Mai durante il primo atto durante il quale il pubblico era ancora impegnato col Souper.

Door zichzelf aangewezen 'beschermers' buitten de sociaal en financieel onzekere situatie van de jonge danseressen van het Corps de ballet meedogenloos uit. Ze 'verkochten' de toegang tot hun kleedkamers, en daarmee seksuele handelingen, aan heren van de voorname 'Jockey Clubs'. Met behulp van hun maatschappelijke positie zorgden deze mannen er dan weer voor dat in elke opera minstens één balletnummer werd ingevoegd. Maar nooit in de eerste acte – dan zat men namelijk nog aan het souper.

Dancer in her Dressing Room

Danseuse dans les coulisses

Tänzerin in ihrer Garderobe

Bailarina en su vestuario

Ballerina nel camerino

Danseres in haar kleedkamer

1878–79, Pastel/Pastel, 60 × 40 cm, private collection

Three Dancers in a Diagonal Line on the Stage

Trois danseuses sur scène

Drei Tänzerinnen in einer diagonalen Linie auf der Bühne

Tres bailarinas en diagonal sobre el escenario

Tre danzatrici sul palco in linea diagonale

Drie danseressen in een diagonale lijn op het toneel

1882, Pastel/Pastel, 63 × 50 cm, private collection

Dancer with Tambourine, or Spanish dancer

Danseuse au tambourin

Tänzerin mit Tamburin, oder Spanische Tänzerin

Bailarina con tambor o bailarina española

Ballerina con tamburello, o ballerina spagnola

Danseres met tamboerijn, of Spaanse danseres

1882, Charcoal and pastel on paper/Fusain et pastel sur papier, 46 × 58 cm, Musée du Louvre, Paris

Dancer

Danseuse

Tänzerin

Bailarina

Ballerina

Danseres

1882–95, Pastel on paper/Pastel sur papier, 59,5 × 46,5 cm, private collection

Dancer with Tambourine

Danseuse au tambourin

Tänzerin mit Tamburin

Bailarina con tambor

Ballerina con tamburello

Danseres met tamboerijn

1882, Pastel on paper/Pastell sur papier, 97 × 65 cm, private collection

The bathers

"Monsieur Degas ... shows us his 'naked women' in the bath or in the intimate sphere of the bathroom; they are not beautiful, they are not well painted, they do not have fair complexion, but at least they can keep themselves clean", wrote an anonymous critic on 6 April 1877 as a scathing response to the images of bathers, which the artist exhibited as part of the third impressionist exhibition, located in Paris at the rue Le Peletier. Almost no other artist worked so obsessively with the representation of women at their toilette as did Degas. In his oeuvre there are approximately 200 bathers represented in drawings, pastels, paintings, prints or sculptures, none of

Femmes au bain

« Monsieur Degas [...] nous présente ses ‹ femmes nues › au bain ou dans le cadre intime de la salle de toilettes : elles ne sont pas belles, elles ne sont pas bien peintes, mais on peut au moins les tenir pour plantureuses » : c'est ce qu'écrit le 6 avril 1877 un critique, en réaction virulente aux représentations de baigneuses que le peintre présente dans le cadre de la Troisième Exposition impressionniste, à Paris, rue Le Peletier. Nul autre peintre que Degas ne se focalise de façon aussi obsessionnelle sur la représentation de femmes à la toilette. L'ensemble de son œuvre comporte environ deux cents « femmes au bain » – en dessins, pastels, tableaux, gravures ou statues. Et de fait : les femmes de Degas n'incarnent pas les idéaux de beauté féminine que l'on affectionnait dans les salons de la bonne

Die Badenden

„Monsieur Degas (...) zeigt uns seine ‚nackten Frauen' im Bad oder in der intimen Sphäre des Waschraums; sie sind nicht schön, sie sind nicht gut gemalt, sie haben keinen schönen Teint, aber immerhin kann man sie für reinlich halten", schreibt ein anonymer Kritiker am 6. April 1877 als vernichtende Reaktion auf die Bilder von Badenden, die der Künstler im Rahmen der dritten Ausstellung der Impressionisten in Paris in der Rue Le Peletier zeigt. Kaum ein anderer beschäftigt sich so obsessiv mit der Darstellung von Frauen bei der Toilette wie Degas. In seinem Gesamtwerk finden sich ungefähr 200 Badende in Zeichnungen, Pastellen, Gemälden, Druckgrafiken oder Plastiken. Und tatsächlich verkörpern Degas' Frauen nicht die im Pariser Salon bevorzugten Idealbilder weiblicher

Alexandre Cabanel & Adolphe Jourdan

The Birth of Venus

La naissance de Vénus

Die Geburt der Venus

El nacimiento de Venus

La nascita di Venere

De geboorte van Venus

1865–69, Oil on canvas/ Huile sur toile, 85 × 135,9 cm, Dahesh Museum of Art, New York

Las bañistas
"El señor Degas (...) nos muestra a sus 'mujeres desnudas' en el aseo o en ambientes íntimos del cuarto de baño; no son hermosas, ni están bien pintadas, no tienen tonos bonitos pero, de todos modos, se las puede considerar puras",

Le bagnanti
"Monsieur Degas (...) ci mostra le sue 'signore nude' in bagno o nell'intimità di quando si lavano. Non sono belle, ne' ben dipinte. Sono prive di trucco ma sempre amanti della pulizia" scrive un critico anonimo il 6 di aprile del 1877

De badende vrouwen
"Monsieur Degas (...) toont ons zijn 'naakte vrouwen' in bad of in de intieme omgeving van de wasruimte; ze zijn niet mooi, ze zijn niet goed geschilderd, ze hebben geen mooie teint, maar we kunnen ze voor helder houden", schrijft

The Bath

Le Bain

Das Bad

El baño

Il bagno

Het bad

1883, Pastel/Pastel, 30,5 × 24 cm, private collection

The Toilette

La Toilette

Die Toilette

El aseo

La Toilette

Toilet maken

1883, Pastel and chalk on paper/Pastel et craie sur papier, 30,5 × 24 cm, private collection

whom embodied the Paris Salon's preferred ideals of feminine beauty, which appeared mostly in the guise of ancient goddesses.

Degas captured the real female body, sometimes in quite ungainly positions. His women did not pose, but are quite simply naked because they are washing. The

société parisienne et qui apparaissaient le plus souvent sur les représentations de l'époque dans le rôle de déesses antiques.

Degas saisit bien plutôt des corps féminins réels dans des postures souvent vraiment maladroites. Ses femmes ne posent pas : elles sont tout simplement nues parce qu'elles se

Schönheit, die zumeist in der Rolle antiker Göttinnen zur Darstellung kamen.

Degas erfasst vielmehr reale weibliche Körper in manchmal sogar recht ungelenken Haltungen. Seine Frauen posieren nicht, sondern sind schlicht und einfach nackt, weil sie sich waschen. Die Nacktheit ist demnach keine Attitüde,

After the Bath

Après le bain

Nach dem Bad

Después del baño

Dopo il bagno

Na het baden

1883, Pastel on paper/Pastel sur papier, 52 × 32 cm, private collection

Woman in the Tub

Femme dans le bain

Frau in der Wanne

Mujer en la bañera

Donna nella tinozza

Vrouw in de badkuip

1884, Pastel on paper/Pastel sur papier, 76,2 × 86,4 cm, private collection

escribió un crítico anónimo el 6 de abril de 1877 como reacción fulminante a las imágenes de las bañistas que el artista presentó en la tercera exposición de los impresionistas en París, en la Rue Le Peletier.

Apenas nadie se ha dedicado de manera tan obsesiva a la representación de la mujer en el cuarto de baño como Degas.

come reazione distruttiva ai quadri delle bagnanti che l'artista mostra a Paris in Rue Le Peletier durante la terza mostra degli impressionisti. Nessuno come Degas si era mai occupato così ossessivamente nel rappresentare le donne nella stanza da bagno. Nella sua intera opera si calcolano circa 200 bagnanti tra disegni, pitture a

een anonieme criticus op 6 april 1877 als vernietigende reactie op de schilderijen van badende vrouwen die de kunstenaar in het kader van de derde tentoonstelling van de impressionisten toont in de Parijse Rue Le Peletier. Er is nauwelijks iemand buiten Degas die zich dermate obsessief met de weergave van vrouwen bij hun toilet bezighoudt. In zijn oeuvre

After the Bath, *or* ***woman lying on a bathrobe***

Après le bain

Nach dem Bad, *oder* ***Auf einem Bademantel liegende Frau***

Después del baño *o* ***mujer recostada sobre un albornoz***

Dopo il bagno, *oppure* ***Donna distesa su un asciugamano***

Na het baden, *of* ***een op een badjas liggende vrouw***

1885, Pastel on paper/Pastel sur papier, 48 × 87 cm, private collection

After the Bath

Toilette d'une femme

Nach dem Bad

Después del baño

Dopo il bagno

Na het baden

1884, Pastel on paper/ Pastel sur papier, 50,1 × 50,1 cm, State Hermitage, Saint Petersburg

nudity is therefore no posture, but merely the immediate reality, which provoked Degas' contemporary viewers all the more.

The harsh criticism did not deter Degas, and in the eighth and last

lavent. Leur nudité n'est donc pas une attitude, mais une réalité immédiate – et d'autant plus provocante pour le public de cette époque.

La dureté de la critique n'empêche pas Degas de présenter encore, à la

sondern unmittelbare Realität – und provoziert damit den damaligen Betrachter umso mehr.

Die harsche Kritik hält Degas nicht davon ab, auch auf der achten und letzten Impressionisten-Ausstellung im

En su obra completa se encuentran unas 200 bañistas en dibujos, pastel, cuadros, grafismos o esculturas. De hecho, las mujeres de Degas no encarnan el ideal de la belleza femenina preferido en el Salón de París, representado mayoritariamente según la imagen de las antiguas diosas.

Degas capta más bien los cuerpos femeninos auténticos, incluso en posturas a veces bastante desmañadas. Sus mujeres no posan, sino que están pura y llanamente desnudas porque se están lavando. La desnudez no resulta, así pues, una actitud, más bien es una realidad directa que era mucho más provocadora para los observadores de entonces.

Las duras críticas no impiden que en 1886, en la octava y última exposición

pastello, dipinti, grafiche multiple o plastici. Oltre a ciò le donne di Degas non incorporano l'ideale femminile di bellezza privilegiato nei salotti parigini rappresentato per la maggior parte paragonato a quello delle Dee dell'antichità.

Degas riesce a descrivere corpi femminili autentici addirittura in posture non controllate. Le sue donne non posano, sono modestamente e semplicemente nude perché si stanno lavando. La nudità non è quindi nessun atteggiamento ma un'immediata realtà molto più provocatrice per l'osservatore di quel tempo.

La dura critica non impedisce però a Degas di mostrare anche durante l'ottava e ultima mostra degli

vinden we ongeveer 200 badende vrouwen; in tekeningen, pastelwerken, schilderijen, gedrukte grafische werken of plastieken. En inderdaad belichamen de vrouwen van Degas niet het ideaal van de vrouwelijke schoonheid zoals die meestal in de rol van de antieke godinnen afgebeeld werd, en waaraan op de Parijse Salon de voorkeur wordt gegeven.

Degas legt liever echte vrouwenlichamen vast, soms in minder sierlijke houdingen. Zijn vrouwen poseren niet, maar zijn gewoon naakt omdat ze zich wassen. De naaktheid is geen pose maar realiteit, die de toeschouwer des te meer provoceert.

Ondanks de kritiek toont Degas ook op de achtste en laatste tentoonstelling

Two Bathers on the Grass ***Zwei Badende im Gras*** ***Due bagnanti sull'erba***
Deux baigneuses sur l'herbe ***Dos bañistas en la hierba*** ***Twee baders in het gras***
1886–90, Pastel on paper/Pastel sur papier brun, 70 × 70 cm, Musée d'Orsay, Paris

Impressionist exhibition of 1886 he exhibited "a series of female nudes who bathe, wash, dry, rub and comb themselves, or are themselves combed" (a title chosen by the artist). He pushed the sometimes unusual contortions of his subjects into disfigurement in order to gain more and new perspectives on the female body.

Huitième Exposition impressionniste (la dernière), en 1886, une « Suite de nuds [sic] de femmes se baignant, se lavant, se séchant, s'essuyant, se peignant ou se faisant peigner » (selon l'intitulé voulu par l'artiste). Ce faisant, il pousse les contorsions de ses protagonistes jusqu'à la déformation, afin de trouver des perspectives toujours nouvelles sur le corps féminin.

Jahr 1886 eine „Folge von weiblichen Akten, die sich baden, waschen, trocknen, abreiben, kämmen oder sich kämmen lassen" (so der vom Künstler gewählte Titel) zu zeigen. Dabei treibt er die zum Teil befremdlichen Verrenkungen seiner Protagonistinnen bis zur Entstellung weiter, um immer neue Perspektiven auf den weiblichen Körper zu gewinnen.

Dancers ascending a Staircase
Danseuses montant un escalier
Tänzerinnen, eine Treppe hinaufsteigend
Bailarinas subiendo una escalera
Ballerine che salgono le scale
Danseressen die een trap oplopen
1886–88, Oil on canvas/Huile sur toile, 39 × 89,5 cm, Musée d'Orsay, Paris

de los impresionistas en París, Degas presente una "serie de desnudos de mujeres que se bañan, se secan, se peinan o se dejan peinar por otras". Además, continúa fomentando parcialmente las contorsiones insólitas de sus protagonistas hasta la deformación para adoptar nuevas perspectivas sobre el cuerpo femenino.

impressionisti nell'anno 1886 una "serie di nudi femminili in cui le donne si fanno il bagno, si asciugano, si strofinano, si spazzolano o si lasciano spazzolare" (così recitava il titolo scelto dall'artista). Per raggiungere sempre più nuove prospettive del corpo femminile si mette alla prova inoltre con sconcertanti distorsioni delle sue protagoniste fino alla deturpazione.

van de impressionisten in 1886 een 'Serie van vrouwelijke naakten die zich baden, wassen, afdrogen, droogwrijven, het haar kammen of laten kammen' (aldus de door Degas gekozen titel). De vaak vreemde verdraaiingen van zijn baadsters versterkt hij soms tot aan het punt van misvorming, om telkens nieuwe perspectieven op het vrouwelijk lichaam te krijgen.

Standing Nude

Femme nue debout

Stehender Akt

Mujer denuda vistiéndose

In piedi

Staande act

1886, Pastel on paper/Pastel sur papier, 67 × 52 cm, private collection

Woman at her Toilette ***Frau bei der Toilette*** ***La tinozza***

La Baignoire ***Frau bei der Toilette*** ***Vrouw bij het toilet***

1886, Pastel on card/Pastel sur carton, 60 × 83 cm, Musée d'Orsay, Paris

Woman at her Toilette

Femme faisant sa toilette

Frau bei der Toilettte

Frau bei ihrer Toilettte

Donne alla toeletta

Vrouw bij haar toilet

1887, Pastel on card/Pastel sur carton, 60 × 76,2 cm, private collection

Kneeling Nude Woman ***Knieender Akt*** ***Donna in ginocchio***

Femme nue à genoux ***Knieender Akt*** ***Knielende act***

1889–95, Pastel on paper/Pastel sur papier, 31 × 47 cm, private collection

Woman having her hair styled

Femme se faisant coiffer

Beim Kämmen

Peinándose

La pettinatura

Bij het kammen

1887–90, Chalk on paper/Craie sur papier, 34 × 26 cm, Musée Marmottan Monet, Paris

After the Bath

Après le bain

Nach dem Bad

Después del baño

Dopo il bagno

Na het baden

1891–92, Charcoal on paper/Fusain sur papier vélin beige, 35,2 × 25,4 cm, Clark Art Institute, Williamstown

Woman drying herself ***Frau, sich selbst trocknend*** ***Donna che si asciuga***

Femme se séchant ***Mujer secándose*** ***Vrouw die zichzelf afdroogt***

1896, Oil on canvas/Huile sur toile, 77 × 83 cm, private collection

Hélène Rouart (Mme. Marin)

1886, Pastel on paper/Pastel sur papier, 49 × 32 cm, private collection

Hélène Rouart in her Father's Study

Hélène Rouart dans le bureau de son père

Hélène Rouart im Studio ihres Vaters

Hélène Rouart en el estudio de su padre

Hélène Rouart nello studio del padre

Hélène Rouart in de studio van haar vader

1886, Oil on canvas/Huile sur toile, 161 × 120 cm, National Gallery, London

La Farandole

1879, Gouache on silk with silver and gold/Gouache sur soie avec bords en or et argent, 30,7 × 61 cm, private collection

Jockeys ***Jockeys*** ***Fantini***

Jockeys ***Jockeys*** ***Jockeys***

1886–90, Pastel/Pastel, 57,5 × 65,4 cm, private collection

Jockeys in the Rain

Jockeys im Regen

Fantini sotto la pioggia

Jockeys sous la pluie

Jockeys bajo la lluvia

Jockeys in de regen

1886, Pastel on paper/Pastel sur papier, 47 × 63,5 cm, Burrell Collection, Glasgow

Jockey flexed forward, standing in the saddle

Jockey penché sur sa selle

Jockey, vorgebeugt im Sattel stehend

Jockey flexionado sobre la montura

Fantino flesso in avanti in piedi sulla sella

Jockey voorovergebogen in het zadel staand

1860–90, Pastel and charcoal on paper/Pastel et craie sur papier, private collection

Before the Race

Avant la course

Vor dem Rennen

Antes de la carrera

Prima della corsa

Voor het wedstrijdrennen

1893, Pastel/Pastel, 65 × 72 cm, private collection

Degas

La Toilette (woman combing her hair)

Femme se peignant les cheveux

Toilette (Frau beim Kämmen)

Aseo (mujer peinándose)

Toilette (Donna che si pettina)

Toilet maken (vrouw die haar haren kamt)

1886, Pastel/Pastel sur papier brun-gris sur carton, 53 × 52 cm, State Hermitage, Saint Petersburg

After the Bath, woman drying her left foot

Femme à sa toilette essuyant son pied gauche

Nach dem Bad, Frau, sich ihren linken Fuß abtrocknend

Mujer secándose el pie izquierdo después del baño

Dopo il bagno, donna che si asciuga il piede sinistro

Na het baden, vrouw die haar linkervoet afdroogt

1886, Pastel on cardboard/ Pastel sur carton, 54,3 × 52,4 cm, Musée d'Orsay, Paris

Degas

In Front of the Mirror ***Vor dem Spiegel*** ***Davanti allo specchio***
Devant le miroir ***Ante el espejo*** ***Voor de spiegel***
1889, Pastel on paper/Pastel sur papier, 49,3 × 63,8 cm, Kunsthalle, Hamburg

Reader lying down

Femme lisant allongée

Lesende, liegend

Lectora recostada

Donna che legge sdraiata

Lezende vrouw, uitgestrekt

1889, Pastel on paper/Pastel sur papier, 99 × 67 cm, private collection

Dancers in Blue

Danseuses bleues

Tänzerinnen in Blau

Bailarinas de azul

Ballerine in blu

Danseressen in blauw

1890, Oil on canvas/Huile sur toile, 85 × 75,5 cm, Musée d'Orsay, Paris

Woman combing her Hair

Femme se coiffant

Frau, sich kämmend

Mujer peinándose

Donna che si pettina

Vrouw die haar haren kamt

1887–90, Pastel on paper/Pastel sur papier, 82 × 57 cm, Musée d'Orsay, Paris

Dancer adjusting her Shoe

Danseuse ajustant son chausson

Sitzende Tänzerin, ihr Schuhband knüpfend

Bailarina sentada atándose la zapatilla

Ballerina che lega la scarpetta

Zittende danseres die de bandjes van haar schoen vastmaakt

1890, Pastel and chalk on paper/Pastel et craie sur papier, 48,2 × 60,1 cm, private collection

Woman drying herself

Après le bain, femme s'essuyant

Frau, sich abtrocknend

Mujer secándose

Dopo il bagno, donna che si asciuga

Vrouw die zichzelf afdroogt

1888–92, Pastel/Pastel, 103,8 × 98,4 cm, National Gallery, London

Harlequin and Colombine

Arlequin et Colombine

Harlequin und Colombine

Arlequín y Colombina

Arlecchino e Colombina

Harlekijn en Colombine

1886–90, Oil on panel/Huile sur bois,
33 × 23,5 cm, Musée d'Orsay, Paris

Zachary Zakarian

1885, Pastel on board/Pastel sur carton,
40 × 38 cm, private collection

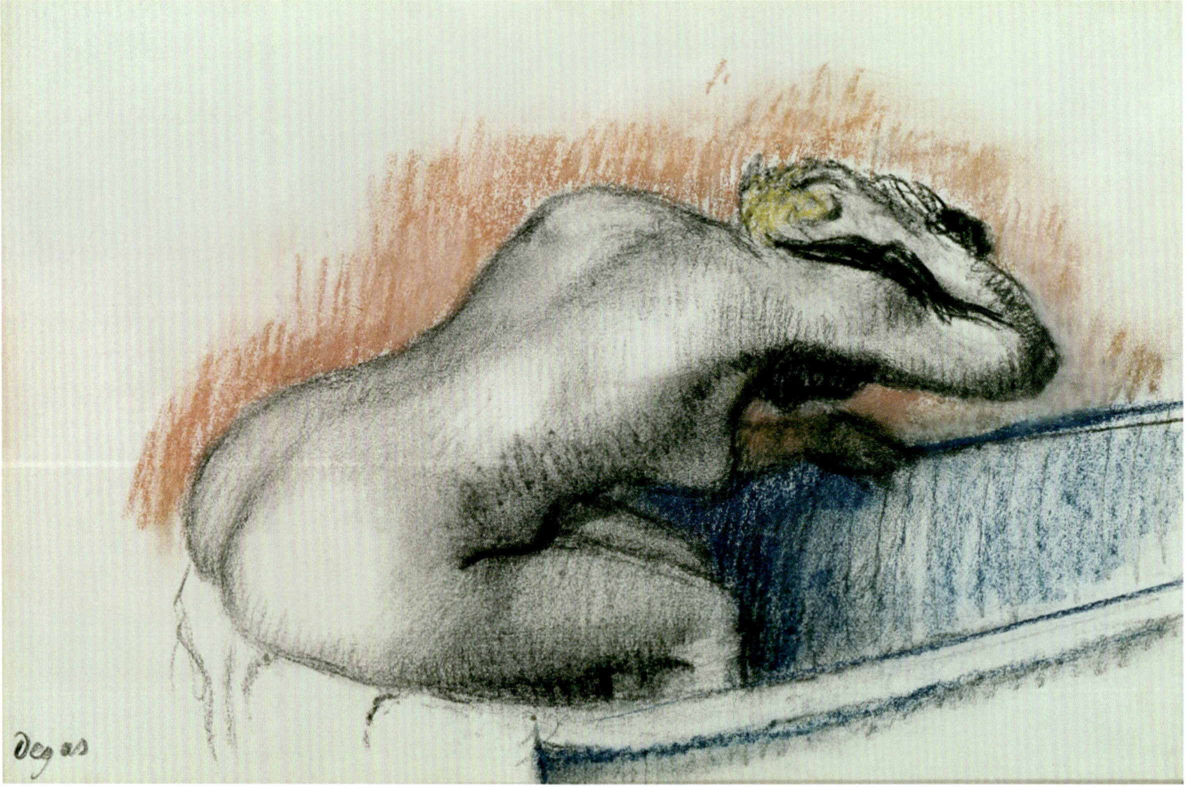

Woman washing in the Bath
Femme se lavant dans sa baignoire
Frau, sich waschend
Mujer lavándose
Donna che si lava
Vrouw die zichzelf wast
1892, Pastel on card/Étude au crayon de couleur et pastel sur carton, 31,8 × 47,4 cm, Musée d'Orsay, Paris

Dancer

Danseuse

Tänzerin

Bailarina

Ballerina

Danseres

1896, Pastel on paper/Pastel sur papier, 48,9 × 32,4 cm, private collection

Morning Toilet

Toilette du matin

Morgen-Toilette

Baño matutino

Mattino - Il bagno

Ochtendtoilet

1894, Pastel on paper/Pastel sur papier, private collection

Woman doing her Hair

Femme se coiffant les cheveux

Sich kämmende Frau, *oder* ***beim Kämmen***

Mujer peinándose

Donna che si pettina

Vrouw die haar haren kamt *of* ***bij het kammen***

1895, Pastel/Pastel, 75,3 × 63,5 cm, private collection

Dancers in Pink

Danseuses en rose

Tänzerinnen in Pink

Bailarinas de rosa

Ballerine in rosa

Danseressen in roze

1895, Pastel and charcoal on paper/Pastel et craie sur papier, 86,3 × 63,5 cm, private collection

After the Bath

La Sortie du bain** ou **Femme s'essuyant le bras gauche

Nach dem Bad

Después del baño

Dopo il bagno

Na het baden

1895, Pastel on paper/Pastel sur papier, 70 × 70 cm, Musée d'Orsay, Paris

Degas

The Green Skirt

La Jupe verte

Der grüne Rock

La falda verde

La gonna verde

De groene rok

1896, Pastel on paper/ Pastel sur papier, 45 × 37 cm, Kelvingrove Art Gallery and Museum, Glasgow

Woman at her Toilette

Femme à sa toilette

Frau bei ihrer Toilettte

Mujer durante su aseo

Donna che si lava

Vrouw bij haar toilet

1895, Pastel on paper/Pastel sur papier, Museo Soumaya, Ciudad de México

The Toilette

La Toilette

Die Toilette

El aseo

La Toilette

Het toilet

1897, Pastel/Pastel, 60,9 × 50 cm, private collection

After the Bath, woman drying her neck

Après le bain, femme nue s'essuyant la nuque

Nach dem Bad, Frau sich ihren Nacken abtrocknend

Después del baño, mujer secándose el cuello

Dopo il bagno, Donna che si asciuga il collo

Na het baden, vrouw die haar nek afdroogt

1898, Pastel on paper/ Pastel sur papier vélin fin collé sur carton, 62,2 × 65 cm, Musée d'Orsay, Paris

Degas

Dancers with Yellow Skirts
(two dancers in yellow)

Danseuses aux jupes jaunes

Tänzerinnen mit gelben Röcken
(Zwei Tänzerinnen in Gelb)

Bailarinas con faldas amarillas
(dos bailarinas de amarillo)

Ballerine in gonna gialla
(Due ballerine in giallo)

Danseressen met gele rokken
(Twee danseressen in geel)

1896, Pastel and charcoal on paper/
Pastel et craie sur papier, 60,2 × 42,4 cm,
private collection

Dancers at Rehearsal ***Tänzerinnen bei der Probe*** ***Ballerine durante le prove***
Danseuses s'entraînant ***Bailarinas ensayando*** ***Danseressen bij de repetitie***
1895–98, Pastel on paper/Pastel sur papier, 70,5 × 100,5 cm, Van der Heydt-Museum, Wuppertal

Two Dancers at Rest**, or **Dancers in Blue

Deux danseuses au repos

Zwei Tänzerinnen bei der Pause**, oder **Tänzerinnen in Blau

Dos bailarinas en el descanso** o **Balarinas de azul

Due ballerine durante la pausa** o **Ballerine in blu

Twee danseressen in de pauze**, of **Danseressen in blauw

1898, Pastel on paper/Pastel sur papier beige et châssis entoilé, 92 × 103 cm, Musée d'Orsay, Paris

Two Dancers

Deux danseuses

Zwei Tänzerinnen

Dos bailarinas

Due ballerine

Twee danseressen

1898, Pastel on paper/Pastel sur papier, 95,5 × 87 cm, Galerie Neue Meister, Dresden

Dancers on a Bench ***Tänzerinnen auf einer Bank*** ***Ballerine su una poltrona***
Danseuses sur un banc ***Bailarinas en un banco*** ***Danseressen op een bank***
1898, Pastel on paper/Pastel sur papier, 53,7 × 75,6 cm, Kelvingrove Art Gallery and Museum, Glasgow

Dancers

Danseuses

Tänzerinnen

Bailarinas

Ballerine

Danseressen

1899, Pastel on board/Pastel sur carton, private collection

Blue Dancers

Danseuses en bleu

Blaue Tänzerinnen

Bailarinas de azul

Ballerine Blu

Blauwe danseressen

1899, Pastel/Pastel , 65 × 65 cm, Pushkin State Museum of Fine Arts, Moscow

Three Dancers ***Drei Tänzerinnen*** ***Tre ballerine***

Trois danseuses ***Tres bailarinas*** ***Drie danseressen***

1899, Pastel on paper/Pastel sur papier, 65,4 × 65,4 cm, private collection

Large Arabesque

Grande arabesque

Große Arabeske

Gran arabesco

Grande arabesco

Grote arabesque

1890, Bronze, 43,5 cm, private collection

The sculptor

Following the artist's death, about 150 small sculptures made of wax or clay were discovered in his estate. In Degas' lifetime, he permitted no bronze casts to be made from these although his financial resources would have allowed this. Due to their poor condition, only 73 of these sculptures could be restored and cast in small editions. Whether Degas

Le sculpteur

Après la mort de l'artiste, on trouve dans sa succession quelque 150 statuettes de cire ou d'argile. De son vivant, Degas n'en fit couler aucune en bronze – bien que ses moyens financiers eussent pu le lui permettre. Par suite de leur mauvais état de conservation, on n'a pu restaurer que 73 de ces statues, avant de les couler en tirages limités. On ne sait pas si Degas s'est tourné vers la sculpture

Der Bildhauer

Nach dem Tod des Künstlers finden sich in seinem Nachlass etwa 150 Kleinplastiken aus Wachs oder Ton. Degas ließ keine davon zu Lebzeiten in Bronze gießen, obwohl seine finanziellen Möglichkeiten dies erlaubt hätten. Aufgrund ihres schlechten Erhaltungszustandes konnten nur 73 dieser Plastiken restauriert und in kleinen Auflagen gegossen werden. Ob

Spanish Dance

Danse espagnole

Spanischer Tanz

Danza española

Ballo spagnolo

Spaanse dans

1896–1911,
Bronze, 40,5 cm,
private collection

Dancer

Danseuse

Tänzerin

Bailarina de ballet

Ballerina

Danseres

1883, Bronze, 41 cm,
Kunsthalle, Mannheim

El escultor
Después de la muerte del artista, su legado contaba unas 150 pequeñas esculturas de cera o arcilla. Degas no permitió en vida que se bañara ninguna de ellas en bronce, a pesar de que sus posibilidades financieras lo permitían. Debido a su mal estado de conservación, solo se pudieron restaurar 73 de estas figuras que fueron bañadas en bronce y reproducidas

Lo scultore
Viene ritrovata postuma la sua eredità con circa 150 piccoli plastici di cera o creta. Degas quando era in vita non ricoprì in bronzo nessuna di queste, nonostante le sue condizioni finanziarie glielo permettessero. A causa della loro pessima condizione di manutenzione fu possibile restaurare solo 73 di questi plastici e furono colati di bronzo e riprodotte in piccole copie.

De beeldhouwer
Na de dood van de kunstenaar worden in zijn nalatenschap ongeveer 150 kleine plastieken uit was of klei gevonden. Tijdens zijn leven laat Degas daarvan niet een in brons gieten, hoewel hij zich dat financieel zeker kan veroorloven.

Vanwege hun slechte staat zijn slechts 73 van deze plastieken gerestaureerd en in kleine oplagen in brons gegoten. Het blijft de vraag of Degas zich op

Dancer in Casual Dress, her hands on her hips, her right leg forward

Danseuse avec les mains sur les hanches, la jambe droite en avant

Tänzerin, ihre Hände in den Hüften, ihr rechtes Bein vorne

Bailarinas con las manos en las caderas y la pierna derecha avanzada

Ballerina a riposo, le mani sui fianchi, gamba destra in avanti

Danseres met haar handen op de heupen, haar rechterbeen voor

1919–21, Bronze, private collection

Spanish Dance

Danse espagnole

Spanischer Tanz

Danza española

Ballo spagnolo

Spaanse dans

Plaster/Plâtre, 47 cm, private collection

had turned to sculpture as a result of a deterioration of his eyesight at a young age, or because it excited him to capture complex snapshots of movement in three dimensions, must remain open. His sculptural work reached a peak in the 1890s. The figures, which were bathers, dancers and horses, reflect and widen the dominant themes of his painting. He pushed the possibilities of static and

en raison d'une perte précoce de son acuité visuelle, ou simplement par goût personnel pour la saisie en trois dimensions de mouvements complexes. Ce travail de sculpture atteint son apogée dans les années 1890. Les sujets – baigneuses, danseuses et chevaux – renvoient aux thèmes dominants de sa peinture. L'artiste pousse à l'extrême de leurs limites les possibilités de la statique et de l'équilibre et heurte

sich Degas der Plastik zuwandte, weil sich schon in jungen Jahren ein Verlust seiner Sehkraft abzeichnete, oder weil es ihn reizte, komplexe Bewegungsmomente dreidimensional zu gestalten, muss offen bleiben. Seine bildhauerische Arbeit erreicht in den 1890er Jahren einen Höhepunkt. Die Figuren – Badende, Tänzerinnen und Pferde – spiegeln die seine Malerei dominierenden Themen wider. Er treibt die Möglichkeiten

Dancer holding her Foot

Danseuse tenant son pied

Tänzerin, ihren Fuß haltend

Bailarina sosteniendo el pie

Danzatrice tenendosi il piede

Danseres die haar voet vasthoudt

1900–10, Bronze, 48 cm, private collection

Dancer at Rest

Danseuse au repos

Tänzerin in der Pause

Bailarina en la pausa

Danzatrice a riposo

Danseres tijdens de pauze

1882–95, Bronze, 45,5 cm, private collection

en pequeñas copias. No está claro si Degas perdió el interés por la escultura porque desde su juventud acusó una pérdida de la visión o porque le irritaba modelar movimientos complejos tridimensionales. Su trabajo escultórico alcanza su punto álgido en 1890. Las figuras, bañistas, bailarinas y caballos reflejan los temas dominantes de su pintura. Degas lleva al límite las posibilidades de la estática

Se Degas si dedicò al plastico perché già negli anni della sua giovinezza si stava delineando una perdita della vista o perché rappresentare momenti in movimento tridimensionalmente lo irritava, è un quesito che resta aperto. I suoi lavori scultorei raggiungono l'apogeo nell'anno 1890. Le figure – bagnanti, danzatrici e cavalli – rispecchiano i temi dominanti nella sua pittura. Degas mette alla prova

de plastiek richtte omdat hij al in zijn jonge jaren met gezichtsverlies te kampen kreeg of omdat hij complexe bewegingsmomenten driedimensionaal wilde vastleggen. Zijn beeldhouwwerk bereikt in het laatste decennium van de 19e eeuw een hoogtepunt. De figuren – vrouwen die zich wassen, danseressen en paarden – weerspiegelen de dominante thema's uit zijn schilderkunst. Hij drijft de mogelijkheden van statiek

Dancer adjusting her Shoulder Strap

Danseuse ajustant sa manche

Tänzerin in Halbfigur, ihr Schulterband knüpfend

Media figura de bailarina ajustándose el tirante

Ballerina aggiustandosi la spallina, metà figura

Bovenlichaam van danseres die haar schouderband vastmaakt

1896–99, Pastel on paper/Pastel sur papier, 44,5 × 35,6 cm, private collection

Dancer with a Tambourine

Danseuse avec tambourin

Tänzerin mit Tamburin

Bailarina con tambor

Ballerina col tamburello

Danseres met tamboerijn

1897, Oil on canvas/Huile sur toile, 32,7 × 40,3 cm, private collection

balance to the limits, challenging his audience and with a total disregard for the then prevailing ideals of beauty. When he exhibited a wax figure of the 14-year-old dancer Marie van Goethem, furnished with artificial hair, a corsage, tutu and ballet shoes presented in a specially constructed glass case, the critics derided it as a "bloom out of the gutter".

son public de front en méprisant ouvertement les idéaux courants de la beauté. Lorsqu'il présente par exemple dans une vitrine de verre (spécialement réalisée) la figure de la jeune danseuse Marie van Goethem (14 ans), dotée de cheveux artificiels, d'un corsage, d'un tutu et de chaussons de danse, des critiques la tournent en dérision en qualifiant le modèle de « fleur de caniveau ».

von Statik und Gleichgewicht in Grenzbereiche und stößt sein Publikum mit der Missachtung gängiger Schönheitsideale vor den Kopf. Als er etwa die Wachsfigur der 14-jährigen Tänzerin Marie van Goethem, versehen mit künstlichen Haaren, Corsage, Tutu und Ballettschuhen in einem dafür angefertigtem Glaskasten präsentierte, verhöhnen die Kritiker sie als eine „Blüte aus der Gosse".

Little Dancer of fourteen years

Petite danseuse de quatorze ans

Kleine vierzehnjährige Tänzerin

Pequeña bailarina de catorce años

Piccola ballerina quattordicenne

Kleine, veertienjarige danseres

1921, Polychrome bronze, satin ribbon and wood/Bronze polychrome, rubans de satin et bois, 97,8 cm, private collection

Ballet Dancer, dressed

Danseuse

Balletttänzerin

Balletttänzerin

Danzatrice di balletto

Balletdanseres

1882–86, Bronze, 99 cm, private collection

y el equilibrio y se enfrenta al público desacatando los ideales habituales de belleza. Cuando, por ejemplo, Degas presentó en una urna de cristal fabricada expresamente para este fin la figura de cera de la bailarina de 14 años, Marie van Goethem, provista de cabello artificial, un corsé, el tutú y las zapatillas de baile, los críticos se burlaron alegando que era una "flor nacida del barro".

la statica e l'equilibrio delle figure fino all'estremo e sbatte in faccia al pubblico il suo disprezzo degli ideali di bellezza. Quando presentò la statuetta di cera di Marie van Goethem, la ballerina quattordicenne, con la parrucca, il bouquet, il tutù e le scarpe da danza in un'urna di vetro costruita apposta, i critici schernirono l'opera definendola il suo "fiore nato dal fango".

en evenwicht tot het uiterste (#109) en stoot zijn publiek voor het hoofd door de gangbare schoonheidsidealen te negeren. Als hij bijvoorbeeld het wassen beeld van de veertienjarige danseres Marie van Goethem uitdost met kunsthaar, een corsage, tutu en balletschoenen, en in een speciaal daarvoor gemaakte vitrine toont, schrijven critici honend dat ze een 'bloem in de goot' is.

Woman putting on Gloves

Femme mettant ses gants

Frau, Handschuhe anziehend

Mujer poniéndose los guantes

Donna che mette i guanti

Vrouw die haar handschoenen aantrekt

1877, Oil on canvas/Huile sur toile, private collection

Friends at the Theater, Ludovic Halevy and Albert Cavé

Ludovic Halevy et Albert Boulanger-Cavé dans les coulisses de l'Opéra

Freunde im Theater, Ludovic Halevy und Albert Cavé

Amigos en el teatro, Ludovic Halevy y Albert Cavé

Amici a teatro, Ludovic Halevy e Albert Cavé

Vrienden in het theater, Ludovic Halevy en Albert Cavé

1878–79, Pastel on paper/Détrempe et pastel, 79 × 55 cm, Musée d'Orsay, Paris

Comte Le Pic and his Sons

Comte Le Pic und seine Söhne

Comte Le Pic e i suoi figli

Le comte Le Pic et ses fils

Comte Le Pic y sus hijos

Comte Le Pic en zijn zonen

1876, Oil on canvas/Huile sur toile, private collection

Albert Melida

1864, Oil on canvas/Huile sur toile, 44 × 33,5 cm, Musée Bonnat-Helleu, Bayonne

Two Dancers in the Foyer

Deux danseuses dans le foyer

Zwei Tänzerinnen im Foyer

Dos bailarinas en el foyer

Due ballerine nel Foyer

Twee danseressen in de foyer

1901, Pastel, 74,3 × 59,1 cm, private collection

Four Dancers ***Vier Tänzerinnen*** ***Quattro ballerine***
Quatre danseuses ***Cuatro bailarinas*** ***Vier danseressen***
1903, Pastel, 77,5 × 88,3 cm, private collection

Three Dancers with a Backdrop of Trees and Rocks

Trois danseuses avec arbres et rochers en toile de fond

Drei Tänzer vor einer Kulisse von Bäumen und Felsen

Tres bailarinas delante de un fondo de árboles y rocas

Tre ballerine davanti a uno sfondo con alberi e rocce

Drie dansers voor een coulisse van bomen en rotsen

1904–06, Pastel, private collection

Dancer arranging her Hair

Danseuse arrangeant ses cheveux

Tänzerin, ihr Haar arrangierend

Bailarina arreglándose el pelo

Ballerina aggiustandosi i capelli

Danseres die haar haren in orde maakt

1900–12, Pastel on paper/ Pastel sur papier, 36,8 × 27,9 cm, private collection

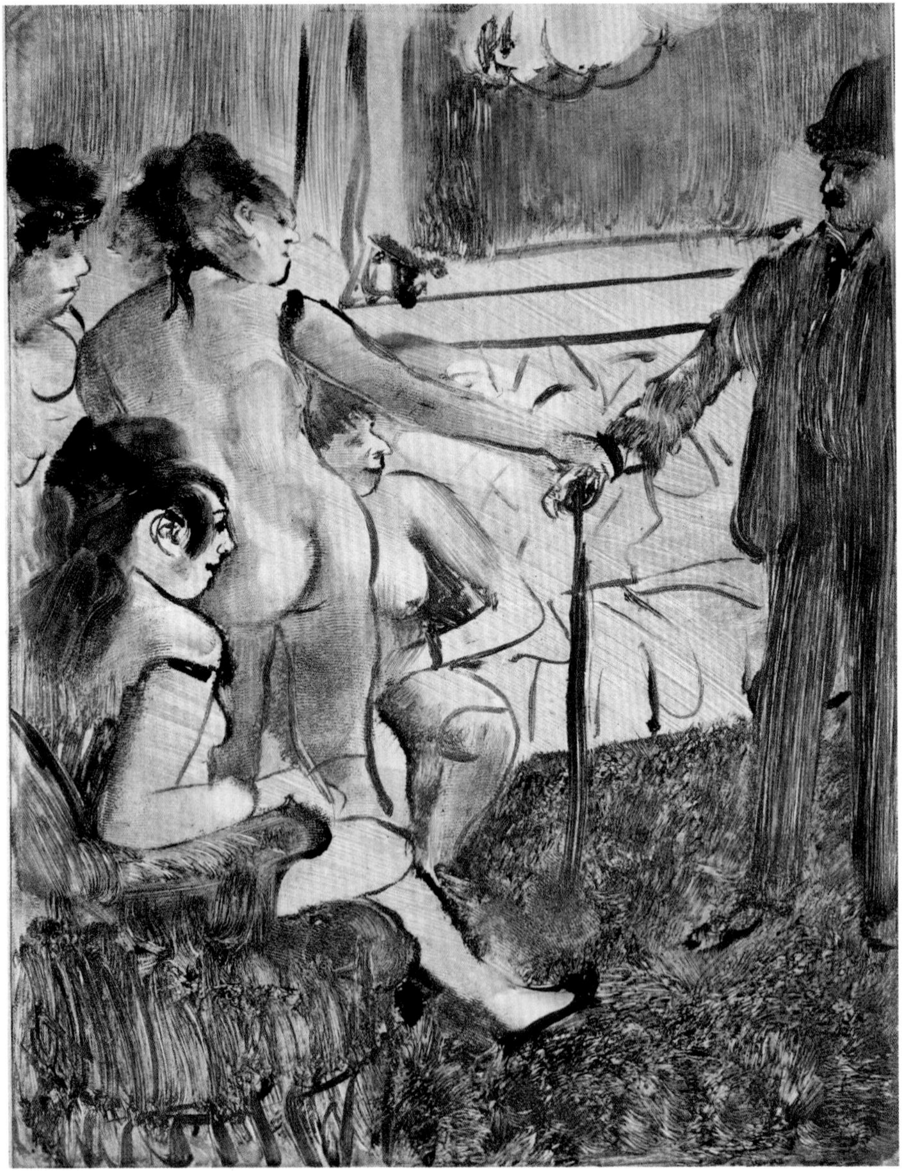

The Serious Customer, Illustration from **La Maison Tellier** ***by Guy de Maupassant, engraved by Maurice Potin***

Illustration de **La Maison Tellier** ***de Maupassant***

Der seriöse Kunde

El cliente serio

Il cliente serio

De serieuze klant

1876–77, Copper engraving/ Gravure sur cuivre, 21 × 15,9 cm, National Gallery of Canada, Ottawa

The Madam's Party, Illustration from **La Maison Tellier** ***by Guy de Maupassant, engraved by Maurice Potin***

Illustration de **La Maison Tellier** ***de Maupassant***

Das Fest der Bordellwirtin

La Maison Tellier

La festa della tenutaria

Het feest van de bordeelhoudster

1876–77, Copper engraving/ Gravure sur cuivre, 20,5 × 15,5 cm, private collection

Three Prostitutes on a Sofa, Illustration from **La Maison Tellier** ***by Guy de Maupassant, engraved by Maurice Potin***

Illustration de La Maison Tellier de Maupassant

Drei Dirnen auf einem Sofa

Tres prostitutas en el sofá

Tre prostitute sul sofa

Drie prostituees op een sofa

1879, Copper engraving/Gravure sur cuivre, 16 × 21,5 cm, Rijksmuseum, Amsterdam

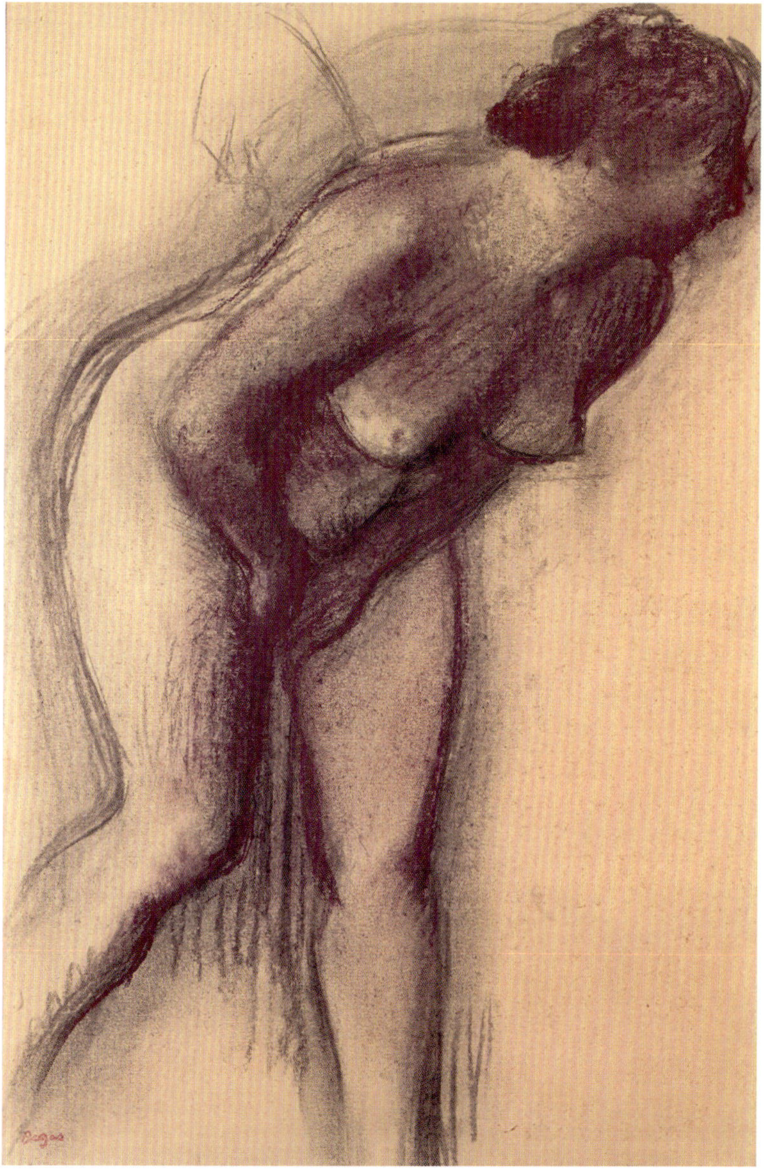

Female standing nude

Femme debout, nue

Weiblicher stehender Akt

Mujer de pie desnuda

In piedi

Vrouwelijke staande act

1863–1865, Charcoal and pastel /Craie et pastel, 55,5 × 36,5 cm, private collection

Dancers in Violet

Danseuses en violet

Tänzerinnen in Violet

Bailarinas de violeta

Danzatrici viola

Danseressen in violet

1895–98, Pastel on paper/Pastel sur papier, 45,5 × 20,5 cm, Musée Faure, Aix-les-Bains

Dancers in the Wings

Danseuses

Tänzerinnen

Bailarinas

Danzatrici

Danseressen

1876–78, Pastel on paper/Pastel sur papier, 29 × 26 cm, private collection

Degas

Four Ballerinas on the Stage
Quatre ballerines sur scène
Vier Ballerinas auf der Bühne
Cuatro bailarinas sobre el escenario
Quattro ballerine sul palcoscenico
Vier ballerina's op het toneel
1885–90, Pastel, Museu de Arte de São Paulo, São Paulo

Dancer

Danseuse

Tänzerin

Bailarina

Danzatrice

Danseres

1885–90, Charcoal and pastel /Craie et pastel, 32 × 30 cm, private collection

Two Dancers

Deux danseuses

Zwei Tänzerinnen

Dos bailarinas

Due danzatrici

Twee danseressen

1898–99, Pastel on paper/Pastel sur papier, 47,8 × 36,2 cm, State Hermitage, Saint Petersburg

Two Blue Dancers

Deux danseuses en bleu

Zwei Tänzerinnen in Blau

Dos bailarinas de azul

Due ballerine blu

Twee danseressen in blauw

c. 1900, Pastel on paper/Pastel sur papier, 75 × 49 cm, Van der Heydt-Museum, Wuppertal

Russian Dancers

Trois danseuses en costume de paysanne

Russische Tänzerinnen

Bailarinas rusas

Danzatrici russe

Russische danseressen

1899, Pastel/Pastell, 62,2 × 62,9 cm, Museum of Fine Arts, Houston

Dancer, viewed from the back

Danseuse vue de dos

Tänzerin, Rückenansicht

Bailarina vista desde atrás

Danzatrice vista di spalle

Danseres, op de rug gezien

1911, Charcoal and chalk on paper/Fusain et craie sur papier, 50 × 39 cm, Musée du Louvre, Paris

Dancers wearing Salmon Colored Skirts

Danseuses aux jupes couleur saumon

Tänzerinnen mit lachsfarbenen Röcken

Bailarinas con faldas de color salmón

Danzatrici con gonne color salmone

Danseressen met zalmkleurige rokken

1895–98, Pastel, private collection

Four dancers on stage
Quatre danseuses sur scène
Vier Tänzerinnen auf der Bühne
Cuatro bailarinas en el escenario
Quattro danzatrici sul palcoscenico
Vier danseressen op het toneel
c. 1900, Pastel, private collection

Ballet Rehearsal

Répétition de ballet

Ballettprobe

Ensayo de ballet

Prova di balletto

Balletrepetitie

1875, Pastel and oil/Pastel et huile, private collection

Dancers wearing Green Skirts

Danseuses en jaune

Tänzerinnen mit grünen Röcken

Bailarinas con faldas verdes

Danzatrici con gonne verdi

Danseressen met groene rokken

1895, Oil on canvas/Huile sur toile, 140 × 80 cm, private collection

Eugène Manet

1874, Oil on canvas/Huile sur toile, 65 × 86 cm, private collection

Study for a Portrait of Manet

Étude pour un portrait de Manet

Studie für ein Porträt von Manet

Estudio para un retrato de Manet

Studio per un ritratto di Manet

Studie voor een portret van Manet

1864–65, Black chalk on paper/Craie noire sur papier, 32,5 × 22,8 cm, Metropolitan Museum of Art, New York

Degas

Two women leaning on a gate

Zwei Frauen, an einem Gatter lehnend

Due signore appoggiate ad un recinto

Deux femmes penchées sur un portail

Dos mujeres apoyadas en una verja

Twee vrouwen die tegen een hekwerk leunen

Pastel, private collection

Landscape

Landschaft

Paesaggio

Paysage

Paisaje

Landschap

1890–92, Pastel, Museum of Fine Arts, Houston

Two women

Deux femmes

Zwei Frauen

Dos mujeres

Due signore

Twee vrouwen

Pastel, private collection

Laundress, reading a letter

La Lecture de la lettre

Wäscherin, einen Brief lesend

Lavandera leyendo una carta

Lavatrice che legge una lettera

Wasvrouw die een brief leest

Pastel on paper/Pastel sur papier, 63 × 45 cm, Burrell Collection, Glasgow

Woman washing herself

Femme se lavant

Frau, sich waschend

Mujer lavándose

Donna che si lava

Vrouw die zichzelf wast

Pastel, private collection

The Bath

Le Bain

Das Bad

El baño

Il bagno

Het bad

Pastel, private collection

La Toilette

La Toilette

Die Toilette

El aseo

La Toilette

Het toilet

Pastel, private collection

Three Girls Bathing

Trois femes se baignant

Drei Mädchen beim Baden

Tres chicas bañándose

Tre ragazze balneazione

Drie meisjes bij het baden

private collection

Jockeys ***Jockeys*** ***Fantini***

Jockeys ***Jockeys*** ***Jockeys***

Pencil/Crayon, private collection

Two studies of riders

Étude de cavaliers

Studie von zwei Reitern

Estudio de dos jinetes

Studio di due cavalieri

Studie van ruiters

Pen and ink, oil and gouache on buff paper/Lavis brun avec rehauts de gouache blanche et d'huile sur papier ocre, 25 × 34 cm, Musée du Louvre, Paris

Degas

Racehorses

Chevaux de course

Rennpferde

Caballos de carreras

Cavalli da corsa

Renpaarden

c. 1880, Pastel, 36 × 86 cm, Pushkin State Museum of Fine Arts, Moscow

Standing Horse ***Stillstehendes Pferd*** ***Cavallo***
Cheval debout ***Caballo estático*** ***Stilstaand paard***
1865–81, Bronze, 39,7 cm, private collection

Trotting Horse ***Trabendes Pferd*** ***Cavallo a trotto***
Cheval trottant ***Caballo trotando*** ***Dravend paard***
Bronze, 22 cm, private collection

Woman with two little girls

Femme avec deux petites filles

Frau mit zwei kleinen Mädchen

Mujer con dos niñas pequeñas

Donna con due bambine

Vrouw met twee kleine meisjes

Pastelt, private collection

Two Dancers Resting

Deux danseuses au repos

Zwei Tänzerinnen, sich ausruhend

Dos bailarinas decansando

Due danzatrici a riposo

Twee danseressen tijdens het uitrusten

Charcoal on paper/Craie sur papier, 78 × 81 cm, private collection

Degas

Dancers

Danseuses

Tänzerinnen

Bailarinas

Danzatrici

Danseressen

Pastel, private collection

Ballet Scene

Scène de ballet

Ballettszene

Escena de ballet

Scena di balletto

Balletscène

Pastel on canvas/Pastel sur toile, private collection

Two dancers relaxing

Deux danseuses au repos

Zwei Tänzerinnen bei der Pause

Dos bailarinas en el descanso

Due danzatrici a riposo

Twee danseressen tijdens de pauze

Pastel, 73,2 × 104,7 cm, Suzuki Collection, Tokyo

The collector and patron
As wealthy man and successful artist, Degas had begun early with the assembly of a very large art collection. Although he had to sell some items in times of crisis, his legacy was of 1000 of his own paintings and drawings, in addition to 4000 drawings by other artists. Degas had bought most articles in the 1890s, a time when his own work

Le collectionneur et le mécène
Grand bourgeois aisé et artiste à succès, Degas peut commencer de bonne heure la constitution d'une collection d'art extraordinairement fournie. Bien qu'il ait dû se défaire d'un certain nombre de pièces par temps de crise, sa succession comportait un millier de ses tableaux et dessins personnels, ainsi qu'environ 4000 dessins d'autres artistes des deux sexes. Il achète la plupart de ces

Der Sammler und Förderer
Als wohlhabender Mann und erfolgreicher Künstler kann Degas schon früh mit dem Aufbau einer außerordentlich großen Kunstsammlung beginnen. Obwohl er in Krisenzeiten einiges wieder veräußern musste, bestand sein Nachlass aus 1000 eigenen Gemälden und Zeichnungen sowie 4000 Zeichnungen anderer Künstler und Künstlerinnen. Die meisten Werke kauft

El coleccionista y mecenas
Como hombre acomodado y artista exitoso, desde bien temprano Degas pudo empezar a crear una colección de arte de extraordinarias dimensiones. A pesar de que en tiempos de crisis tuvo que vender algunos ejemplares, su legado consta de 1000 cuadros y dibujos propios, así como de 4000 dibujos de otros artistas. Degas adquiere la mayoría de las obras en la década de 1890

Il collezionista e il mecenate
In quanto uomo benestante e artista di successo, Degas potrà subito permettersi di dare origine a una straordinaria collezione di oggetti d'arte. Nonostante avesse poi dovuto cedere alcuni pezzi nei tempi di crisi, lasciò in eredità più di 1000 lavori propri tra dipinti e disegni, e 4000 disegni di altri artisti. La maggior parte di quelle opere, Degas le comprò negli anni Novanta,

De verzamelaar en de begunstiger
Als welgesteld man en succesvol kunstenaar kan Degas al vroeg beginnen met het aanleggen van een buitengewoon grote kunstverzameling. Hoewel hij in crisistijden een en ander weer van de hand moet doen, bestaat zijn nalatenschap naast 1000 eigen werken uit 4000 tekeningen van andere kunstenaars. De meeste werken koopt Degas in het laatste decennium van

Three Russian Dancers

Trois danseuses russes

Russische Tänzerinnen

Bailarinas rusas

Tre danzatrici russe

Russische danseressen

1895, Pastel on paper/Pastel sur papier, 62 × 67 cm, Nationalmuseum, Stockholm

Dancers Bending Down

Danseuses s'inclinant

Sich verbeugende Tänzerinnen (Die Ballerinas)

Bailarinas flexionadas (Las bailarinas)

Danzatrici piegate in giù (Le Ballerine)

Danseressen die buigen (De ballerina's)

Oil on canvas/Huile sur toile, private collection

had achieved impressive prices. He turned his attention to some of his greatest idols, Ingres, Delacroix, and Daumier, but also acquired works from his fellow artists, especially Édouard Manet, Paul Cézanne, Paul Gauguin (1848–1903) and Mary Cassatt (1844–1926). Such purchases, which often took place

œuvres dans les années 1890, lorsque ses propres travaux atteignent des prix considérables. Son intérêt va d'un côté aux œuvres de ses grands modèles – Ingres, Delacroix et Daumier – mais il acquiert aussi des travaux de ses collègues artistes, en particulier d'Édouard Manet, Paul Cézanne, Paul Gauguin (1848–1903) et Mary Cassatt

Degas in den 1890er Jahren, als seine eigenen Arbeiten beeindruckende Preise erzielen. Er richtet sein Augenmerk zum einen auf seine großen Vorbilder, Ingres, Delacroix und Daumier, erwirbt aber auch Arbeiten seiner Künstlerkollegen, insbesondere von Édouard Manet, Paul Cézanne, Paul Gauguin (1848–1903) und Mary Cassatt (1844–1926). Solche

cuando sus trabajos alcanzaron precios impresionantes. Él fija su atención en algunos de sus mayores ídolos, Ingres, Delacroix y Daumier, aunque también adquiere obras de sus compañeros artísticos, en especial de Édouard Manet, Paul Cézanne, Paul Gauguin (1848–1903) y Mary Cassatt (1844–1926). Este tipo de adquisiciones que, a menudo se

quando i suoi lavori gli permettevano dei buoni guadagni. La sua attenzione di collezionista andò ai suoi grandi idoli, Ingres, Delacroix e Daumier. Acquistò però anche opere dei suoi compagni artisti, in particolare quelli di Édouard Manet, Paul Cézanne, Paul Gauguin (1848–1903) e Mary Cassatt (1844–1926). Alcuni acquisti, spesso

de 19e eeuw, wanneer zijn eigen werk aanzienlijke prijzen opbrengt. Zijn belangstelling gaat daarbij uit naar zijn grote voorbeelden Ingres, Delacroix en Daumier, maar hij verwerft ook werk van eigentijdse collega's, vooral van Édouard Manet, Paul Cézanne, Paul Gauguin (1848–1903) en Mary Cassatt (1844–1926). Zulke aankopen vinden

Study of a Dancer

Étude d'une danseuse

Studie einer Tänzerin

Estudio de una bailarina

Studio di una danzatrice

Studie van een danseres

Pastel and charcoal on paper/Pastel et craie sur papier, private collection

Dancer at the Bar

Danseuse à la barre

Tänzerin an der Ballettstange

Bailarina en la barra de ballet

Danzatrice alla sbarra

Danseres aan de barre

Chalk on paper/Craie sur papier, 31,3 × 23,7 cm, Cincinnati Art Museum, Cincinnati

in secret, also served the purpose of supporting the younger or less affluent artists. With the American artist Mary Cassatt, Degas formed a friendly and collegial relationship. He invited her regularly, along with Berthe Morisot and Marie Braquemond (1840–1916), to participate in the impressionist exhibitions. Degas was, on the one hand, esteemed by his colleagues as a treasured artist, but on the other hand was considered difficult and uncompromising.

With his open anti-Semitism, which became established in his numerous statements regarding the Dreyfus affair (1894), he became increasingly sidelined. Around 1908 he ceased his work and retired from public life. His last years were spent in solitude, until his death at the age of 83 from a brain hemorrhage.

(1844–1926). Ces achats – souvent effectués sous le manteau – servent aussi à soutenir des artistes plus jeunes ou en difficultés financières. Avec la peintre américaine Mary Cassatt se noue une relation à la fois professionnelle et amicale. Il l'invite régulièrement à participer aux expositions des impressionnistes, de même que Berthe Morisot et Marie Braquemond (1840–1916). Degas est un artiste très apprécié par ses collègues, mais il passe aussi pour un personnage abrupt, intransigeant et difficile à vivre.

Avec son antisémitisme déclaré, qui se donne libre cours au moment de l'affaire Dreyfus (1894), Degas s'isole de plus en plus. Il arrête de créer en 1908 et se retire de la vie publique. Il passe ainsi les dernières années de sa vie dans une grande solitude et meurt en 1917 des suites d'une hémorragie cérébrale, à 83 ans.

Ankäufe, die oftmals im Verborgenen stattfinden, dienen auch der fördernden Unterstützung gerade der jüngeren oder finanziell schlechter gestellten Künstler. Mit der amerikanischen Malerin Mary Cassatt verbindet Degas ein kollegial-freundschaftliches Verhältnis. Er lädt sie, wie auch Berthe Morisot und Marie Braquemond (1840–1916), regelmäßig zur Teilnahme an den Ausstellungen der Impressionisten ein. Degas ist einerseits ein bei seinen Kollegen geschätzter Künstler. Andererseits gilt er als schwierig und kompromisslos.

Mit seinem offenen Antisemitismus, der sich in zahlreichen Äußerungen rund um die Dreyfus-Affäre (1894) Bahn bricht, stellt er sich zunehmend ins Abseits. Um 1908 beendet er sein Schaffen und zieht sich aus der Öffentlichkeit zurück. Seine letzten Lebensjahre verbringt er sehr einsam, bis er schließlich 83-jährig an den Folgen einer Gehirnblutung stirbt.

"He is intolerable, but we must recognise that he has much talent."
« Il est insupportable, mais l'on doit reconnaître qu'il a beaucoup de talent. »
„Er ist unerträglich, aber wir müssen anerkennen, dass er viel Talent hat."
"Es insoportable, pero hay que reconocer que tiene mucho talento."
"È insopportabile, ma dobbiamo riconoscere che ha un grande talento."
"Hij is onverdraaglijk, maar we moeten toegeven dat hij veel talent heeft."
GUSTAVE CAILLEBOTE

Edgar Degas
Photo, private collection

producían en la clandestinidad, servían también para impulsar a los artistas jóvenes o cuya posición financiera era más desfavorable. Con la pintora americana Mary Cassatt, Degas mantuvo una relación amistosa y solidaria. Él la invitaba con frecuencia, como a Berthe Morisot y a Marie Braquemond (1840–1916), a participar en exposiciones de los impresionistas. Degas es, por una parte, uno de los artistas más apreciados entre sus compañeros. Por otra parte, se le considera como a alguien difícil e intransigente.

Con su palmario antisemitismo que mostró en varias declaraciones durante el caso Dreyfus (1894), se fue quedando cada vez más al margen. En torno a 1908, culminó su obra y se retiró de la vida pública. Sus últimos años los pasó en soledad hasta que, a la edad de 83 años, debido a las consecuencias de un derrame cerebral, falleció.

clandestini, servivano anche a sostenere finanziariamente qualche giovane artista o chi si trovava in pessime condizioni economiche. Degas stringe una relazione di amicizia solidale con la pittrice americana Mary Cassatt. La invita, insieme a Berthe Morisot e Marie Braquemond (1840–1916), regolarmente a partecipare alle mostre degli impressionisti. Degas per alcuni aspetti è uno degli artisti più stimati dai suoi colleghi, dall'altro è un personaggio scontroso e poco amante dei compromessi.

Col suo aperto antisemitismo, espresso con numerosi interventi durante il periodo dell'affare Dreyfus (1894), si collocherà sempre più al margine della scena. Attorno al 1890 la produzione di Degas termina e si ritira dalla scena pubblica. Trascorre gli ultimi anni di vita in solitudine e muore a 83 anni per una emorragia cerebrale.

vaak heimelijk plaats en ondersteunen juist jongere kunstenaars of kunstenaars die het financieel zwaar hebben. Degas heeft met de Amerikaanse schilder Mary Cassatt een collegiaal-vriendschappelijke verhouding. Hij nodigt haar, en ook Berthe Morisot en Marie Braquemond (1840–1916), regelmatig uit om deel te nemen aan tentoonstellingen van de impressionisten. Degas geldt enerzijds als een door collega's gewaardeerd kunstenaar, anderzijds als lastig en compromisloos.

Met zijn openlijk antisemitische houding, die hij in talrijke uitlatingen over de Dreyfus-affaire (1894) uitdraagt, zet hij zichzelf steeds meer buiten spel. Rond 1908 beëindigt hij zijn artistieke carrière en trekt zich terug uit het openbare leven. Zijn laatste jaren brengt hij eenzaam door, totdat hij op 83-jarige leeftijd aan de gevolgen van een hersenbloeding overlijdt.

Josephine Gaujelin

1867, Oil on wood/Huile sur bois, 35 × 26.5 cm, Kunsthalle, Hamburg

Mary Cassatt at the Louvre, The Paintings Gallery

Mary Cassatt au Louvre, La galerie de peinture

Mary Cassatt im Louvre, Die Gemäldegalerie

Mary Cassatt en el Louvre, La galería de pinturas

Mary Cassatt nel Louvre, La galleria di pittura

Mary Cassatt in het Louvre, Het schilderijenkabinet

1879/80, Etching/Gravure, 30.5 × 12.5 cm; Clark Art Institute, Williamstown

Curriculum Vitæ

*	1834	Paris, F
	1834–1856	Paris, F
	1856–1859	Napoli–Roma–Firenze, I
		Paris, F
	1860	Napoli–Firenze, I
		Normandie, F
	1861–1868	Paris, F
	1869	Boulogne-sur-Mer–Saint-Valery-en-Caux, F
	1870–1872	Paris, F
	1871	London, GB
	1872–1873	New Orleans, USA
		I, E
	1873–1917	Paris, F
	1875	Napoli, I
	1883	London, GB
	1896	Saint-Valery-sur-Somme, F
†	1917	Paris, F

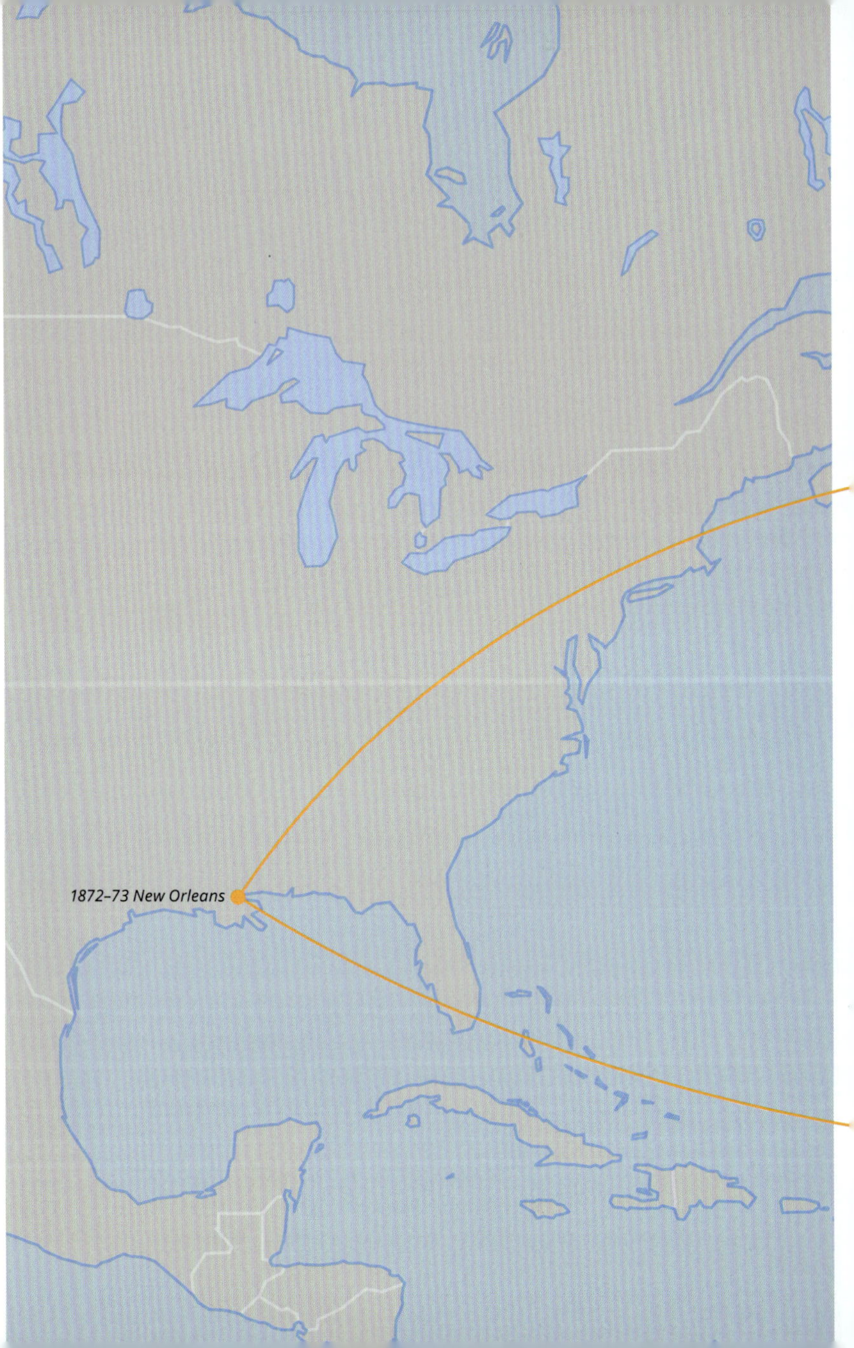

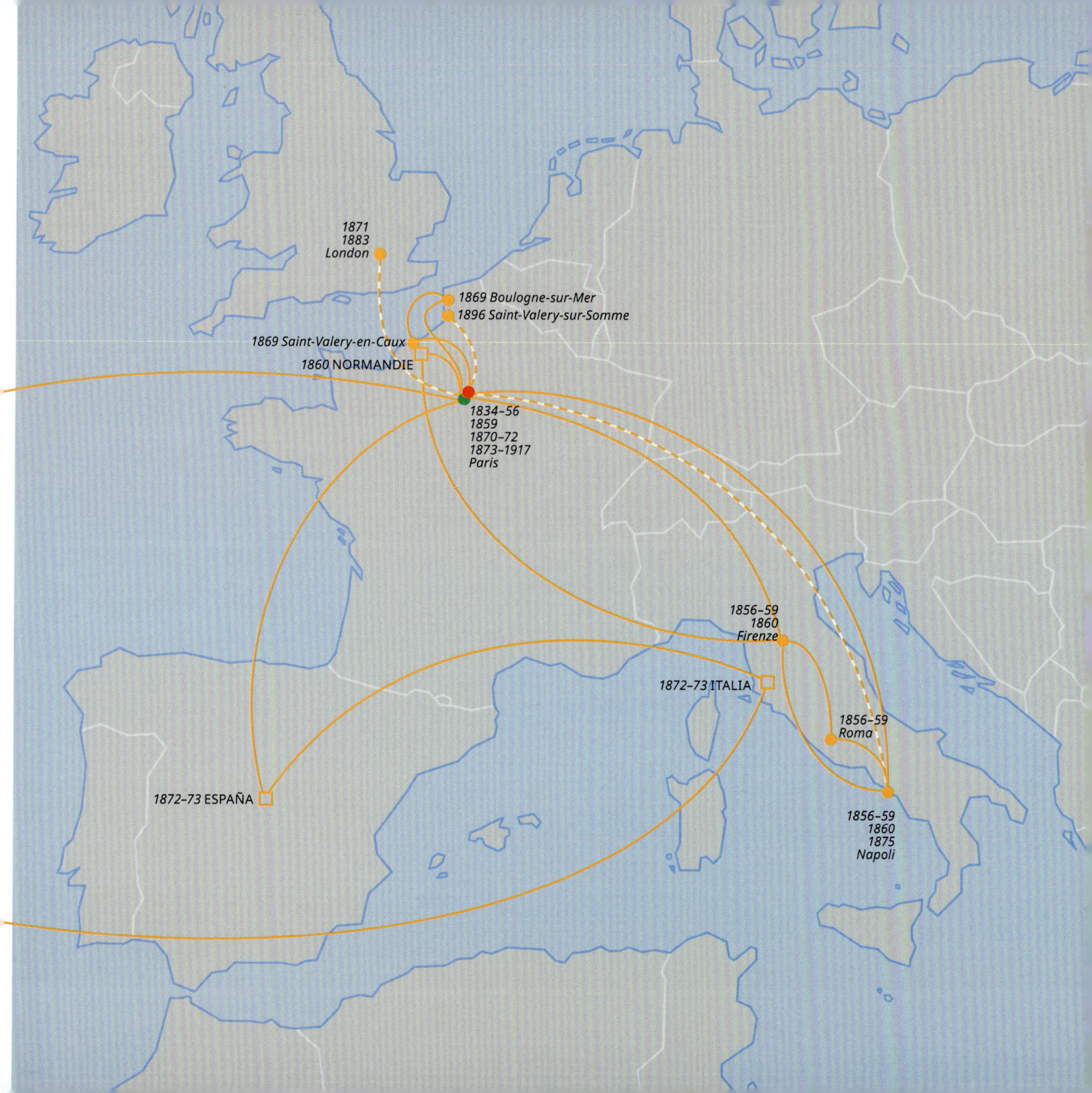
1871
1883
London
1869 Boulogne-sur-Mer
1896 Saint-Valery-sur-Somme
1869 Saint-Valery-en-Caux
1860 NORMANDIE
1834–56
1859
1870–72
1873–1917
Paris
1856–59
1860
Firenze
1872–73 ITALIA
1856–59
Roma
1872–73 ESPAÑA
1856–59
1860
1875
Napoli

Museums
Musées

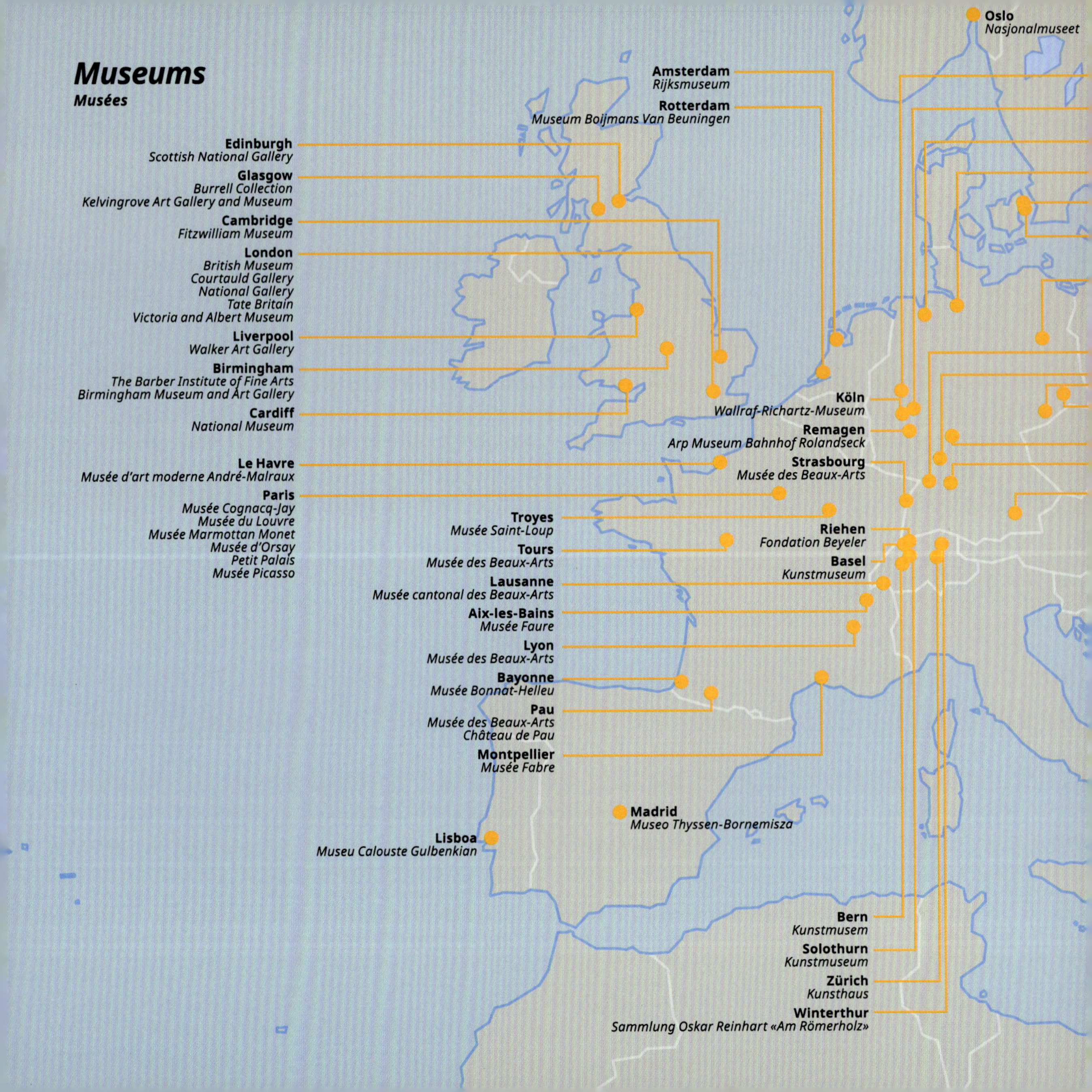

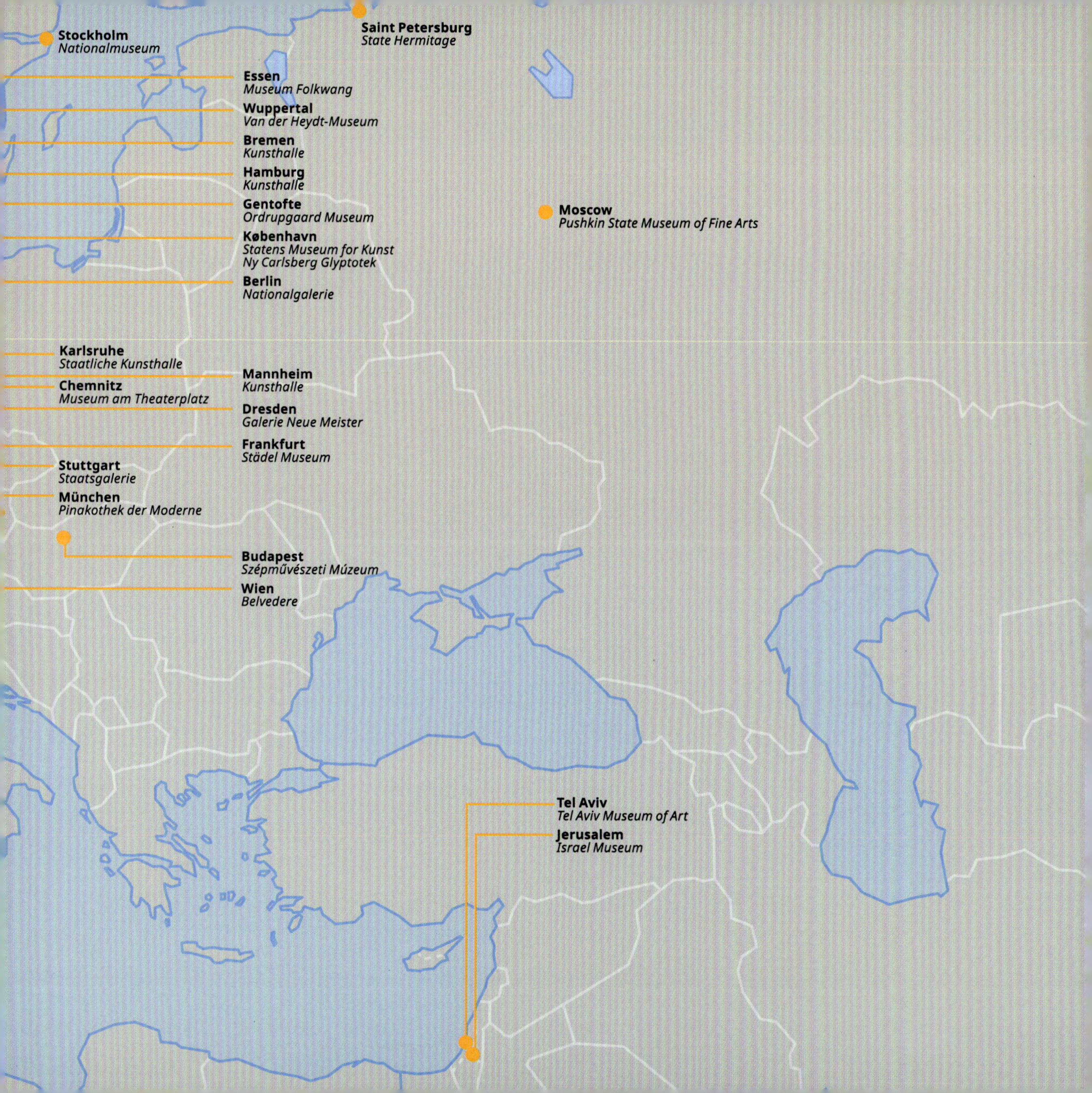

Stockholm
Nationalmuseum
Saint Petersburg
State Hermitage
Essen
Museum Folkwang
Wuppertal
Van der Heydt-Museum
Bremen
Kunsthalle
Hamburg
Kunsthalle
Gentofte
Ordrupgaard Museum
København
Statens Museum for Kunst
Ny Carlsberg Glyptotek
Berlin
Nationalgalerie
Moscow
Pushkin State Museum of Fine Arts
Karlsruhe
Staatliche Kunsthalle
Mannheim
Kunsthalle
Chemnitz
Museum am Theaterplatz
Dresden
Galerie Neue Meister
Frankfurt
Städel Museum
Stuttgart
Staatsgalerie
München
Pinakothek der Moderne
Budapest
Szépművészeti Múzeum
Wien
Belvedere
Tel Aviv
Tel Aviv Museum of Art
Jerusalem
Israel Museum

Museums

Musées

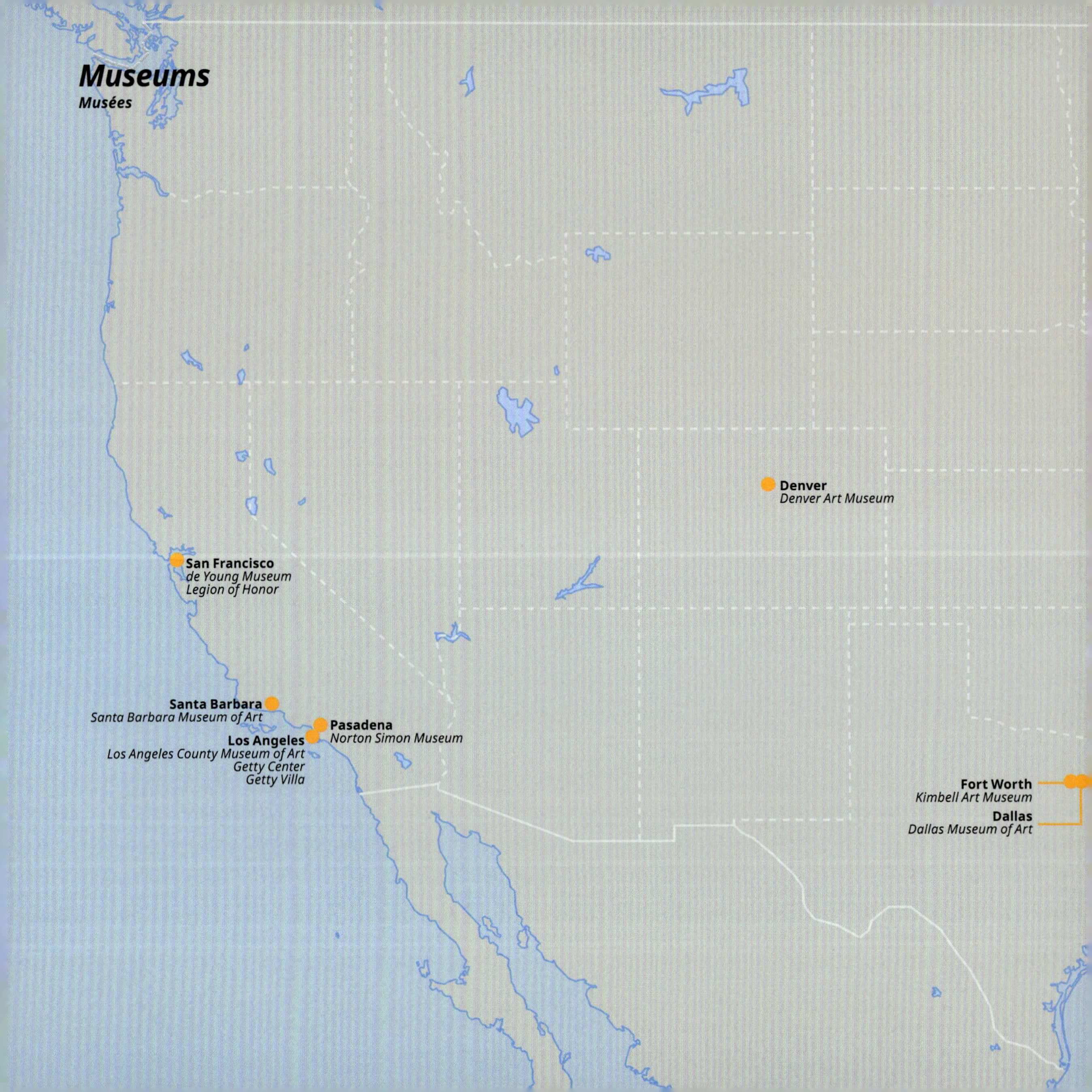

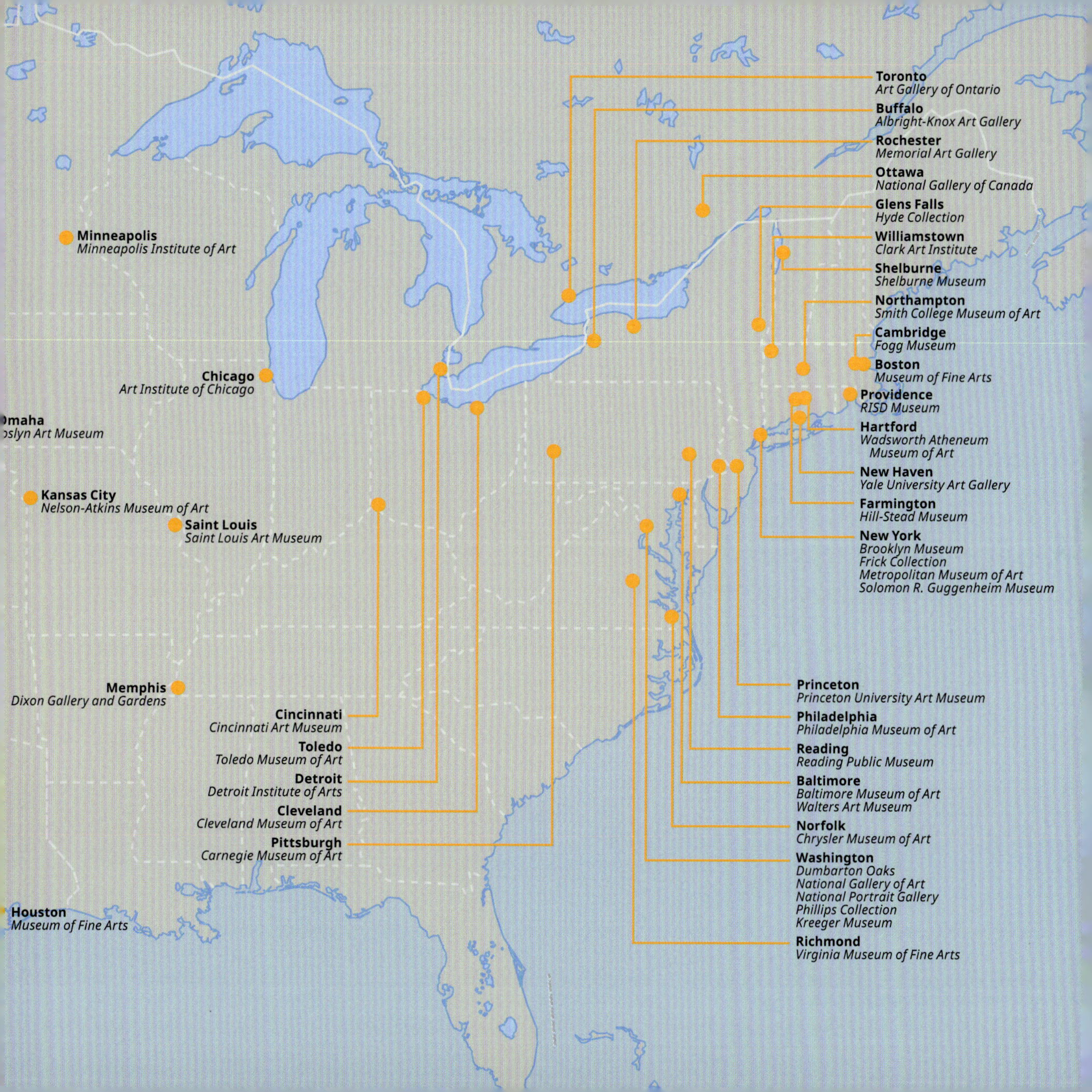

Toronto
Art Gallery of Ontario
Buffalo
Albright-Knox Art Gallery
Rochester
Memorial Art Gallery
Ottawa
National Gallery of Canada
Glens Falls
Hyde Collection
Williamstown
Clark Art Institute
Shelburne
Shelburne Museum
Northampton
Smith College Museum of Art
Cambridge
Fogg Museum
Boston
Museum of Fine Arts
Providence
RISD Museum
Hartford
Wadsworth Atheneum
Museum of Art
New Haven
Yale University Art Gallery
Farmington
Hill-Stead Museum
New York
Brooklyn Museum
Frick Collection
Metropolitan Museum of Art
Solomon R. Guggenheim Museum
Minneapolis
Minneapolis Institute of Art
Chicago
Art Institute of Chicago
Omaha
oslyn Art Museum
Kansas City
Nelson-Atkins Museum of Art
Saint Louis
Saint Louis Art Museum
Memphis
Dixon Gallery and Gardens
Cincinnati
Cincinnati Art Museum
Toledo
Toledo Museum of Art
Detroit
Detroit Institute of Arts
Cleveland
Cleveland Museum of Art
Pittsburgh
Carnegie Museum of Art
Houston
Museum of Fine Arts
Princeton
Princeton University Art Museum
Philadelphia
Philadelphia Museum of Art
Reading
Reading Public Museum
Baltimore
Baltimore Museum of Art
Walters Art Museum
Norfolk
Chrysler Museum of Art
Washington
Dumbarton Oaks
National Gallery of Art
National Portrait Gallery
Phillips Collection
Kreeger Museum
Richmond
Virginia Museum of Fine Arts

Museums
Musées
Ciudad de México
Museo Soumaya
São Paulo
Museu de Arte de São Paulo
Buenos Aires
Museo Nacional de Bellas Artes

Tokyo
National Museum of Western Art
Hakone
Pola Museum of Art
Kitakyushu
Municipal Museum of Art

Recommended Literature

John Rewald: Exhibition Catalogue: *Edgar Degas. His family and friends in New Orleans* (Exhibition Catalogue, May 2–June 16, 1965, Isaac Delgado Museum of Art, City Park, New Orleans), New Orleans 1965.

Ch. W. Millard: *The sculpture of Edgar Degas,* Princeton 1976.

Eunice Lipton: *Looking Into Degas. Uneasy Images of Women and Modern Life,* Berkeley 1987.

Malcolm R Daniel: *Edgar Degas, photographer,* MetPublications, New York, 1998.

Joseph S. Czestochowski/ Anne Pingeot (Ed.): *Degas sculptures. Catalogue raisonné of the bronzes* (Exhibition Catalogue, Museo Nacional de San Carlos, Mexico City, 10 June–15 September 2002, Memorial Art Gallery, University of Rochester, New York, 10 October 2002–12 January 2003), New York 2002.

Martin Schwander (Ed.): *Edgar Degas. The Late Work,* Ostfildern 2012.

Christopher Lloyd: *Edgar Degas. Drawings and Pastels,* Los Angeles 2014.

Littérature recommandée

Paul-André Lemoisne: *Degas et son Œuvre* (4 vols plus supplement), Paris 1946–1949.

Antoine Terrasse: *Edgar Degas. Catalogue Raisonné,* Milan 1972.

Antoine Terrasse: *Degas et la photographie,* Denoël 1983.

Fiorella Minervino: *Tout l'œuvre peint de Degas,* Paris 1988.

Marina Robbiani, *Degas,* Paris 1988.

Antoine Terrasse: *Dans l'intimité de Degas,* Paris 1993.

Literaturempfehlungen

Antoine Terrasse: *Edgar Degas I. Werkverzeichnis* (aus d. Franz. übers. u. bearb. von Nora Jensen u. Rudolf Kimmig), Berlin 1981.

Antoine Terrasse: *Edgar Degas II. Werkverzeichnis* (aus d. Franz. übers. u. bearb. von Nora Jensen u. Rudolf Kimmig), Berlin 1981.

Adriani Götz (Hrsg.): *Edgar Degas. Pastelle, Ölskizzen, Zeichnungen* (Ausst.-Kat., Kunsthalle Tübingen, 14. Januar–25. März 1984 ; Nationalgalerie Berlin, 5. April–20. Mai 1984), Köln 1984.

Richard Kendall (Hrsg.): *Edgar Degas. Leben und Werk in Bildern,* München 1988.

Denys Sutton: *Edgar Degas. Leben und Werk* (übers. aus d. Engl. Roswitha Beyer), München 1986.

Bernd Growe: *Edgar Degas,* Köln 2002.

Alexander B. Eiling (Hrsg.): *Degas. Klassik und Experiment* (Ausst.-Kat. Staatliche Kunsthalle Karlsruhe, 8. November 2014–1. Februar 2015), München 2014.